O Na Byddai'n Haf o Hyd

Alison Prince

Addasiad
Manon Rhys

GOMER

Argraffiad Cymraeg cyntaf—1991

ISBN 0 86383 742 5

Teitl gwreiddiol: *Goodbye Summer*

Cyhoeddwyd gyntaf yn 1981 gan
Hamish Hamilton, 27 Wrights Lane, Llundain W8 5TZ.

Cyhoeddwyd dan gynllun comisiynu'r Cyngor Llyfrau Cymraeg.

Dymuna'r cyhoeddwyr gydnabod cymorth a chyfarwyddyd Adrannau'r Cyngor Llyfrau Cymraeg a noddir gan Gyngor Celfyddydau Cymru.

O NA BYDDAI'N HAF O HYD,
AWYR LAS UWCHBEN Y BYD . . .

1

Trafod dynion oedden ni, Liz a finnau. Rhyw fore Sul oedd hi, a finnau newydd liwio 'ngwallt yn binc a'i glymu e lan yn dynn fel y llun rown i wedi'i weld yn *Cosmo*. Gan fy mod i wedi tynnu'r cyrtens a rhoi siol sidan dros y lamp, roedd 'na wawr goch dros y stafell wely. *Joss sticks* wedyn yn llosgi mewn potyn bach ar y silff ben tân—'beiddgar' oedd ein gair mawr ni'r haf tyngedfennol hwnnw!

Roedd Liz wrthi'n rhoi lliw aur ar ei hewinedd. Doeddwn i ddim yn fodlon iddi wrando ar *Radio One* rhag iddo fe dorri ar yr awyrgylch. Chwerthin wnaeth hi, ond roedd hi'n deall yn iawn. Doeddwn i byth yn gorfod egluro pethau i Liz.

Merch gomic yr olwg oedd hi. Er taw dwy ar bymtheg oedden ni'n dwy fe allech chi dyngu'i bod hi dipyn yn hŷn. Gwallt ac aeliau cochlyd a wyneb hir esgyrnog—tasai hi'n clymu sgarff rownd ei phen fe fyddai hi'n debyg i'r menywod 'na oedd yn gweithio mewn ffatris amser rhyfel. Roedd ei cheg ar agor o hyd, a'i dannedd blaen hi'n gam.

Y bore Sul arbennig yma gwisgai siaced felfed fawr ddu o siop Oxfam. Siaced dyn oedd hi, a dyn go fawr hefyd, gan fod y llewys yn hongian i lawr dros ei dwylo. Ond un fach bert iawn oedd hi, â rhyw batrwm bach cyrliog i lawr ei blaen. O dan y siaced roedd 'na hen bâr o jîns rhacs a blowsen fach rib. Dim ond ffydd oedd yn cynnal honno. Tei-bow fach wedyn rownd ei gwddw, y dwpsen ddwl, fel un o'r *Bunny Girls* 'na.

Kimono rown i newydd ei brynu mewn ffair sborion oedd amdana i. Er ei fod e'n hen fel pechod rown i'n dwli arno fe. Roedd 'na ddreigiau a blodau lliwgar drosto i gyd, a thynnwn y sash mawr gwyrdd yn dynn, dynn, er mwyn gwneud i 'nghanol i edrych yn llai nag oedd e.

Roedd 'na stori yn y *Sunday Times* y bore hwnnw am ryw awdur a honnai fod cael cyfathrach rywiol ddwywaith y dydd yn hanfodol iddo fel llenor. Doedd fawr o wahaniaeth pwy oedd y fenyw, fe fyddai unrhyw un yn gwneud y tro. Rown i'n meddwl bod y peth yn erchyll.

'Falle taw'r un ysfa â mynd i'r tŷ-bach yw e,' oedd barn Liz. 'Ma' hi'n anodd cadw dy feddwl ar bethe nes bo' ti wedi bod, on'd yw hi?'

Edrychodd ar fy ngwallt ac ochneidio.

'Ti'n edrych yn gwmws fel mop.'

'Dychmyga rhyw foi yn dy gymharu di â thŷ-bach! Ych a fi!'

Roedd y syniad yn troi arna i, a doeddwn i ddim yn deall sut y gallai Liz drafod y peth mor jocôs. Er taw rhyw bedwar mis yn hŷn na fi oedd hi roedd hi gymaint mwy gwybodus, fel tasai hi'n perthyn i ryw glwb na fyddai gobaith i fi ymuno ag e byth. Roedd hi'n f'atgoffa i o'r bobol ryfedd, hyderus hynny sy'n siarad byth a beunydd am waith shifft a chasglu rhent a'r cownsil yn dod i gwiro'r to. Yr un siort o bobol sy'n diflannu i siopau bwcis sy â phaent gwyrdd dros eu ffenestri. Roedd Liz fel tasai hi'n deall y byd 'na, ac yn llwyddo i 'ngwneud i i deimlo'n israddol iddi, er 'mod i wedi bod mewn ffrwd uwch na hi yn yr ysgol, hyd nes iddi adael yn un ar bymtheg a chael jobyn fel *trainee cook*. Roeddwn i'n dal yn y chweched ac isie dilyn cwrs cynllunio dillad mewn coleg celf. Rown i wrth 'y modd yn gwneud dillad, ond fe ddwedodd y bobol gyrfaoedd fod gofyn 'cael pethe ar bapur'. Dyna'r unig reswm y cytunais i i aros 'mlaen.

Dal i drafod arferion rhywiol dynion oedden ni pan alwodd Mam fod coffi'n barod. Cyn i fi gael cyfle i fynd i'w nôl e roedd ei phen yn pipo rownd y drws.

'Beth yw'r drewdod 'ma?' gofynnodd. 'A pham bo' chi wedi cau'r cyrtens?'

'Am bo' ni isie bod yn breifet,' atebais. Rown i bob amser yn dweud pethau er mwyn eu dweud nhw.

'Beth ar y ddaear wyt ti wedi neud i dy wallt?' gofynnodd wedyn cyn mynd i agor y cyrtens. 'O Sara!' Fe allech chi dyngu 'mod i wedi cael siafo 'mhen! Cofiwch chi, rown i wedi cael 'y nhemtio. Pennau moel oedd y ffasiwn yr haf hwnnw. A pham oedd hi'n mynnu fy ngalw i'n Sara? Sali oeddwn i i bawb arall ers dros flwyddyn.

'Isie newid bach o'n i, 'na i gyd,' atebais. 'Gwylie'r haf yw hi ontefe? A ma' 'da fi chwech wythnos cyn mynd nôl i'r twll lle 'na. O'ch *chi* byth yn neud pethe gwallgo pan o'ch chi'n ifanc?'

Stwffiodd gudyn hir o'i gwallt brith i'r *Alice band* a thynnu'i cheg yn dynn.

'Wrth gwrs! Ond o leia ro'n i bob amser yn edrych yn neis!'

'Neis!' Gair oedd yn fy ngwneud i'n benwan oedd hwnnw. Chwifiais fy mraich yn ddramatig at yr olygfa drwy'r ffenest rown i wedi bod yn ei chuddio mor ofalus. 'Yn gwmws fel yr ardd *neis* a'r cymdogion *neis*. Ma'r cwbwl yn 'yn hala i'n dost. A 'na pam wy'n lico cadw'r cyrtens ynghau—hynny yw, pan ga i!'

Credais ei bod hi'n mynd i golli'i thymer yn rhacs. Ond wnaeth hi ddim.

'Y cwbwl weda i wrthot ti, Sara, yw y doi di'n gyfarwydd ag e,' meddai. 'Fel 'nes *i*. Sdim pwynt i ti feddwl bo' bywyd yn mynd i fod yn hyfryd ac yn rhamantus o hyd, achos dyw e ddim.'

Tynnodd ei cheg yn dynnach fyth a dweud un peth arall, chwerw iawn.

'Os nag oedd bywyd yn hyfryd i fi, pam ddyle fe fod i *ti*? Dewch â'ch cwpane lawr gyda chi.'

Casglodd dudalennau'r *Sunday Times* i gyd a martsio at y drws. Wedyn fe drodd 'nôl a chyfarth, 'A pwy ti'n meddwl sy'n talu'r bil letric?' cyn diffodd y lamp a rhoi clep i'r drws y tu ôl iddi.

Fe drois y lamp 'mlaen eto a chau'r cyrtens, cyn taflu'n hunan ar y gwely.

'God! Ma'n rhaid i fi fynd o'r tŷ 'ma!'

'Ma' Mam yn gwmws yr un peth,' oedd unig gysur Liz, gan siglo'i hewinedd yn yr awyr. 'Ma' hi wedi ca'l amser caled yn 'yn magu i ar 'i phen 'i hunan whare teg, ond sdim clem 'da hi shwt ma' joio. Dyw hi byth yn gallu relacso.'

'Ma'n nhw'n bradu'r cwbwl,' atebais, a dechrau sipian y coffi. Ar ôl colli 'nhymer, rown i'n cael pwl o iselder. 'Na beth oedd yn digwydd bob tro.

'Pwy sy'n bradu beth?' holodd Liz.

'Mam, a dy fam dithe. A miloedd o fenywod tebyg iddyn nhw. Pan o'n nhw'n ifanc o'n nhw'r un peth â ni—yn credu y gallen nhw daclo unrhyw beth, dim ond wynebu pethe'n iawn. Ond ma'n nhw'n cwrdd â rhyw foi a ma'n nhw'n bradu'r cwbwl er mwyn ca'l tipyn bach o arian *housekeeping* yn 'u pocedi bob wythnos. Wir i ti, dy'n nhw ddim yn gall.'

'Dim 'na beth 'nath Mam,' atebodd Liz â hen dwtsh bach hunangyfiawn yn ei llais.

'Na, ond hi oedd yn goffod magu'r babi ontefe?' gwaeddais yn ddiamynedd. Er nad oedd hi'n bwriadu gwneud hynny, roedd Liz bob amser yn llwyddo i awgrymu bod ei chefndir anodd hi'n ei gosod hi'n uwch na phawb arall. Ond roedd isie iddi sylweddoli nad hi oedd yr unig un oedd wedi dioddef.

'O leia, phriododd dy fam di ddim,' meddwn i wedyn. 'Meddwl di am 'yn rhieni i. Os nag yw Dad lawr yn y dafarn, ma'i drwyn e yn 'i bapur. Dyw e a Mam byth yn siarad â'i gilydd. Ma'n nhw'n boleit, 'na i gyd, er mwyn cadw pethe fel ma'n nhw. Dim 'na beth yw priodas! Dim 'na beth yw bywyd!'

Chymerodd Liz fawr o sylw. Caeodd y botel *nail varnish* a sipian ei choffi, cyn dechrau siarad.

'Taset ti'n ca'l jobyn bach dros y gwylie 'ma fel wyt ti'n bwriadu, allen ni'n dwy fynd bant ar 'yn penne'n hunen ddiwedd Awst. Ma' arnon nhw wylie i fi.'

'Beth am blincin Saundersfoot?' meddwn i'n sur. 'Ma'n nhw'n mynd 'na ddechre Medi, a finne gyda nhw, i fod. Twll o le yw e, ond fe golla i gwpwl o ddyddie o'r ysgol. 'Na'r unig amser alle Dad gymryd 'i wylie. Plygu i drefn-iade pawb arall ma' fe fel arfer. *Fe* ddyle ga'l y dewis cynta ontefe? Fe yw'r manijer wedi'r cwbwl.'

Gwenodd Liz. 'Ma'n siŵr 'i fod e wedi gweud "Na, na, peidwch â becso amdana i",' meddai. 'Un fel 'na yw e, ontefe? Wy'n dwli arno fe. Ma' fe'n foi mor neis.'

'Ody, ma' fe. Ond neis mewn ffordd od. Dyw e ddim yn lico pobol rhyw lawer. Wel, dim pawb—ti'n deall beth sda fi? Ma' fe siŵr o fod yn blino trin a thrafod 'da nhw bob dydd. Pan fydd rhywun yn galw 'ma, ma' fe'n mynd i gwato ac esgus nag yw e yn y tŷ. Ond os ddalan nhw fe, ma' fe'n siarad â nhw'n ddigon neis. Falle'i fod e'n teimlo'n euog am beidio'u lico nhw.'

'Falle bo' dim angen neb arno fe,' gwenodd Liz. 'Dim fel y boi 'na â'i fenywod-ddwywaith-y-dydd!'

Fe ddechreuais i bregethu eto.

'Os nag yw rhyw yn spesial, beth sy? Ma' fe'n penderfyniad mor bwysig. Os ceith rhywun fynd miwn i'ch corff chi man a man iddo fe fynd miwn i'ch meddylie chi a'ch breuddwydion chi—i'ch enaid chi hyd yn oed.'

'Fe *ddyle* fe fod yn spesial,' cytunodd Liz. 'Ond ody fe? Os nag o's ots 'da chi bo' rhywun yn 'ych cusanu chi, pam becso am y gweddill? Sdim byd mwy personol na'ch ceg chi.'

Edrychais ar geg Liz a'i dannedd cam a chofio amdani'n cusanu Bryn Hughes yn y maes parcio ar ôl rhyw hen ddisco diflas es i iddo fe gyda Siôn Blainey—Siôn Blewyn Coch. Roeddwn i'n casáu'r blewiach bach oedd ar ei freichiau. Rown i wedi gobeithio mynd adref gyda Liz er mwyn dianc oddi wrtho fe. Ond cusanu Bryn Hughes oedd hi, â'i phen reit 'nôl a'i llygaid ynghau. Roedden nhw'n mynd 'mlaen a 'mlaen . . . Gorfod i fi ddioddef llaw Siôn Blainey ar 'y mhen-glin yr holl ffordd adref yn y car. Ar ôl cyrraedd, fe gusanodd e fi mor hir nes 'mod i'n ffaelu anadlu. Ond gorfod i fi esgus 'mod i wrth 'y modd rhag iddo fe feddwl 'mod i'n blentynnaidd. Er 'mod i wedi bod mas 'da nifer go lew o fechgyn erbyn hynny, doeddwn i ddim wedi mwynhau unwaith yn iawn. Ond fyddwn i byth wedi cyfaddef hynny, ddim hyd yn oed wrth Liz.

'Ma' fe siŵr o fod fel yfed alcohol,' meddai Liz. 'Ma'

yfed am y tro cynta'n grêt. Ond wedyn, sdim isie meddwl ddwywaith am y peth.'

'Yfes i lot o sherry Nadolig dwetha. Fe a'th Mam yn bananas.'

Teimlwn yn ddiflas ac yn gymysglyd. Roedd pawb rownd i chi mor barod i bregethu wrthoch chi beth oedden *nhw* wedi'i wneud pan oedden *nhw*'n ifanc. Ond doedd neb wedi byw 'y mywyd *i* o'r blaen.

'Ta beth,' meddwn i, 'allen i ddim diodde pethe i fod yr un peth dro ar ôl tro. Shwt allwch chi fagu profiad os na thrïwch chi rywbeth newydd?'

'Yn gwmws,' atebodd Liz.

'Profiad' oedd un o'n geiriau mawr ni. Roedden ni'n ei drafod e rowndabowt, ac yn credu bod modd ei gasglu fe fel mae pobol yn casglu stampiau.

'Alla i drio peth o hwn?' gofynnodd Liz gan blygu 'mlaen wrth y drych, â'i cheg ar agor, i roi mascara ar ei llygaid. 'Cofia,' meddai wedyn, 'fe fydde hi'n ddiflas heb ddynion. Diflas iawn 'fyd.'

'Ma'n rhaid 'u ca'l nhw sbo,' meddwn innau. Roedd hi mor bwysig trafod pethau'n oeraidd ac yn bwyllog, hyd yn oed pan fydden ni ar ein pennau'n hunain. 'Ond fe allen nhw fynd yn ormod o fòs arnon ni os na fyddwn ni'n ofalus. Ma'n rhaid i ni gadw llygad arnyn nhw 'na i gyd, achos moch ŷn nhw i gyd yn y bôn.'

Chwerthin wnaeth Liz.

'Sali, shwt alla i neud i'n llyged i edrych yn fwy?'

'Tynna linelle reit rownd iddyn nhw.'

Rown i'n dal i deimlo'n ddiflas. Hwnnw oedd y gair y byddai Liz a finnau'n ei ddefnyddio i ddisgrifio'r teimlad tyn oedd yn ein llethu ni mor aml y dyddiau hynny. Tynnais sash 'y nghimono'n deit a dweud, 'Ma' hi'n hen bryd i ni whare record.'

Yn y ffair sborion y prynais y kimono, rown i hefyd wedi prynu hen gramoffôn a dwsinau o recordiau saith-deg-wyth. Doedd eu hanner nhw ddim gwerth dim, ond roedd dwy neu dair yn barchus iawn 'da ni.

'Dere i ni ga'l "O na byddai'n haf o hyd",' awgrymodd Liz, gan bipo arna i o ganol y cylchoedd mawr oedd yn ymddangos rownd ei llygaid. Roedd hi wedi 'nghymryd i ar 'y ngair ac wedi'u plastro nhw'n ddu i gyd. Un fel 'na oedd hi, yn barod i fentro unrhyw beth er mwyn sbort.

'Odyn ni'n teimlo'n ddigon diflas ti'n meddwl?' gofynnais.

O'r holl recordiau, y tangos a'r jazz a'r emynau, hon oedd yr un spesial. Roedden ni wedi cytuno i beidio â'i chwarae hi ond ar adeg o densiwn emosiynol mawr.

'Odyn,' meddai hi wrth ei llun yn y drych. 'Ti newydd gyhuddo dynion o fod yn foch. A ta beth,' ychwanegodd, gan droi i edrych arna i, 'fe neith e fyd o les i ni wrando arni.'

Roedd golwg anhygoel arni, fel tasai hi newydd gael sioc drydan. Fe weindiais i'r gramoffôn a rhoi'r record 'mlaen.

Y piano oedd â'r darn agoriadol, a'r tro cyntaf i ni wrando arno fe gawson ni sterics. Ond fe stopon ni chwerthin pan glywon ni'r llais. Roedd e'n glir ac yn felys, fel tasai'n ein cyrraedd ni o bell. A'r geiriau wedyn, mor syml, ond yn dweud y cwbwl.

'O na byddai'n haf o hyd,
Awyr las uwchben y byd . . .'

Teimlwn ryw wefr fach bob tro rown i'n eu clywed nhw.

Ar ddiwedd y gân, fe dynnais y record a'i rhoi hi'n ôl yn ei chlawr papur brown, cau caead y gramoffôn a phwyso yn erbyn y cwpwrdd â 'mreichiau wedi'u plethu.

'Pam ti'n edrych arna i fel 'na?' holodd Liz.

Y gân oedd yn dal i droi yn 'y mhen.

'On'd yw miwsig yn beth od?' atebais. 'Ma' cân bert yn neud i fi deimlo'n fwy nag odw i. Ma' fel tase rhyw wirionedd mawr 'na, a finne'n rhan ohono fe, taswn i 'mond yn gallu'i gyrraedd e. Ma' fe'n gwmws fel hiraeth . . .'

Gwenodd Liz ond roedd hi'n deall.

'Fydda i byth yn teimlo shwt beth yn yr ysgol,' meddwn i wedyn. 'Ma'n nhw'n llwyddo i racso popeth. Sdim byth dim byd pwysig yn digwydd 'na. Dim ond rhyw ffŷs, ffŷs, am bethe bach o hyd.'

'Ddylet ti fod wedi gadel fel 'nes i,' meddai Liz a chrychu'i thalcen yn y drych. 'Shwt fydde tipyn o wyn rhwng y llinelle 'ma?'

'Fyddet ti'n gwmws fel *zebra crossing*.'

'O, diolch yn fowr. Ma' hi'n ddigon hawdd i ti, â'r llyged mowr pert 'na. Ma'n rhai i fel rhai 'yn nhedi i. Fe gwmpodd y rhai iawn mas, a fe roiodd Mam hen fotwne yn 'u lle nhw—botwne bach glas yng nghanol ffwr orenj.'

'Wel, o leia sdim gwallt fel llygoden 'da ti!'

Fe wenodd hi eto.

'Llygoden fach binc wyt ti nawr ontefe? Ody fe'n sych?'

Byseddais fy ngwallt yn ofalus.

'Ody, am wn i. Well i fi ddatod un i weld. Wy ddim isie iddo fe fod yn rhy dynn. 'Na pam roies i ddim *rollers* ynddo fe.'

Tynnais un cudyn yn rhydd ond clymau oedd y gweddill i gyd. Trodd Liz o'r drych a thorchi'i llewys gan ddangos ei breichiau bach pwt â brychni haul drostyn nhw i gyd.

'Dere,' meddai. 'Achuba i di.'

'Diolch.' Roeddwn i wrth 'y modd yn cael rhywun i drin 'y ngwallt i.

'Ma' fe'n gyrliog ofnadw,' meddai Liz wrth ei ryddhau e bishyn wrth bishyn.

'Tase 'da fi ddigonedd o arian fe elen i i ga'l neud 'y ngwallt bob dydd,' meddwn i.

'Ti ddim 'di gweud beth ti'n feddwl o'n syniad i.'

'Pwy syniad?'

'Mynd ar wylie. Ti oedd yn sôn am arian nawr. Taset ti'n ca'l jobyn ac yn cadw'r arian, fydde digon 'da ti mewn mis. Allen ni hitsho i rywle neis a campo 'na. Hei—aros yn llonydd!'

Yn sydyn, rown i ar bigau'r drain.

'Ti'n meddwl y gallen i ennill digon? Fydde'n rhaid i fi weud wrthyn *nhw* bo' fi ddim yn mynd i Saundersfoot. Sdim jobyn i fi 'da'r boi Mangle 'na yn y caffi o's e?'

'Mandel yw 'i enw fe. Ond sdim byd 'dag e. Ma' fe newydd ga'l *pastry chef* newydd—Federico. Tipyn o bishyn. Mwstash fach ddu a llyged llo.'

'Fydde dim siâp arna i fel *pastry chef* ta beth.'

'Na fydde, ti'n iawn. Cer lawr y *Job Centre* fory. Tr'eni 'u bo' nhw'n cau dydd Sul ne' fydden ni 'di gallu mynd 'na prynhawn 'ma. Dim bo' lot 'da nhw i gynnig fel arfer.'

'Ma' unrhyw beth yn well na slafo wrth y pwmp petrol 'na fel 'nes i dros y Pasg.'

Teimlwn yn well yn sydyn.

'Ma'n rhaid taw'r record sy 'di codi 'nghalon i,' meddwn i. 'Ma' hi'n gweithio bob tro.'

'Beth 'nawn ni pan fydd hi wedi gwisgo gormod i'w

whare hi?' gofynnodd Liz wrth dynnu pishyn arall o wallt yn rhydd.

'Dim syniad.' Rown i'n teimlo'n oer wrth feddwl am y peth. 'Wir i ti, dim syniad.'

Edrychais ar 'y ngwallt pinc, cyrliog yn y drych, a gwenu. Yn sydyn, doedd pethau ddim cynddrwg ag rown i wedi'i ofni. Am y tro, beth bynnag . . .

2

Doedd y ffaith bod 'da fi wyth T.G.A.U. ddim yn help o gwbwl. Cynnig gwaith i seiri a mecanics a nyrsys trwyddedig oedd y cardiau prin ar waliau'r *Job Centre*. Fe ges i 'nhemtio i gynnig am waith glanhau, ond am ddeg awr yr wythnos yn unig oedd hwnnw, a doedd yr arian ddim yn ddigon. Es i draw at y ddesg a dweud, 'Esgusodwch fi.'

Roedd 'na dair menyw'n clebran, ond fe stopon nhw'n stond pan welon nhw 'ngwallt i. 'Jiw, jiw!' meddai un ohonyn nhw dan ei gwynt. Rown *i*'n meddwl ei fod e'n edrych yn grêt. Rown i wedi clymu sgarff sidan biws ac arian rownd 'y mhen, ac rown i'n gwisgo ffrog gotwm ddu, a siol rownd 'y nghanol, a sgidiau uchel am 'y nhraed. Yr unig drafferth oedd ei bod hi'n ddiwrnod chwilboeth.

Mentrodd y ddewraf o'r tair ata i â'i llaw wrth wddw'i ffrog grimplîn las, fel tasai arni isie'i hamddiffyn ei hunan.

'Ie?'

Dwedais 'mod i'n chwilio am job.

'Ie?' meddai eto. 'A beth o'ch chi'n gredu y gallech chi'i neud?'

'*O'n* i'n credu y gallen i weitho.'

'Pwy brofiad sy 'da chi?'

Profiad. Gair mawr Liz a finnau. Y peth mwyaf gwerthfawr mewn bywyd.

'Fues i'n gweithio mewn garej,' atebais. 'Ond ma' hi'n anodd ca'l profiad a chithe'n dal yn yr ysgol.'

Roedd hi'n ddigon amyneddgar, chwarae teg iddi.

'Odych chi wedi gadel yr ysgol nawr?'

'Na, ond licen i ga'l gwaith dros y gwylie.'

Mistêc. Fe gaeodd hi'i llygaid, ysgwyd ei phen ac ochneidio.

'Ma' pobol yn ca'l trafferth i ga'l gwaith amser-llawn heb sôn am waith dros dro,' meddai. Edrychodd rownd fel tasai hi ar fin datgelu rhyw gyfrinach fawr, a phwyso'i phenelin ar y ddesg.

'Tasen i'n chi, cariad, fe roien i garden yn ffenest rhyw siop. Allech chi gynnig neud gwaith glanhau. Dyw menywod sy isie pobol i lanhau iddyn nhw ddim yn dod aton ni. Ma'n nhw isie osgoi talu stamp, chi'n deall. Ddylen i ddim gweud hyn, ond 'na beth ddylech chi neud.'

Craffodd arna i, o'r top i'r gwaelod.

'Ac os licech chi 'nghyngor i, cariad, triwch edrych tipyn bach yn fwy . . . wel, yn fwy parchus.'

Gwenais arni. Wedi'r cwbwl, fy lles i oedd ganddi mewn golwg. Yna, cydiais yn fy mag bach aur a martsio mas. Teimlwn fy nhymer yn codi, ond gwyddwn nad arni hi oedd y bai. Pa ots os oedd hi'n gul, yn dew, yn ddichwaeth, yn hyll, yn ddwl ac yn gwmws yr un peth â miliwn o fenywod bach eraill? Dim arni hi roedd y bai.

Ond erbyn i fi gyrraedd y drws, rown i'n crynu yn fy natur.

Roedd y cwbwl yn gwneud i chi deimlo mor fach. A beth fyddai Dad yn ei ddweud taswn i'n mynd mas i lanhau? 'Sdim merch i fi'n mynd i lanhau mochyndra pobol erill!' Gwyddwn ei fod e'n meddwl y byd ohona i yn ei ffordd fach od. A Mam hefyd. O drat. Fe fyddai hithau wrth ei bodd yn pregethu bod 'na hen ddigon o waith i fi'i wneud yn 'tŷ ni, diolch yn fowr.

Roedd hi'n dwym iawn, er taw newydd droi naw oedd hi. Roedd Mam wedi tynnu sylw at hynny hefyd.

'Beth wyt ti'n neud ar dy dra'd mor fore? Mowredd, wyt ti'n dost?'

'Mynd i whilo am waith odw i.'

'Â'r gwallt 'na? Byth!'

'Gwallt pinc sy 'da Zandra Rhodes, a ma' hi'n enwog dros y byd.'

'Ond dyw hi ddim yn whilo am waith. Pam wyt ti isie gwaith ta beth?'

A 'mlaen a 'mlaen . . . Sgwrs fach ddiflas iawn.

Doedd dim syniad 'da fi ble i fynd. Wrth gerdded heibio i'r siopau teimlwn yn unig iawn. Fel'ny teimlwn i bob amser mas ar 'y mhen fy hunan. Pan fyddai Liz yn gwmni i fi, doedd dim problem. Roedd 'na bwrpas i bopeth, hyd yn oed wrth siarad a chwerthin neu gerdded ar hyd y stryd. Ar 'y mhen fy hunan, doedd dim pwrpas i ddim. Fe allwn i ddioddef mynd i'r ysgol neu i siopa, ond y bore 'ma doeddwn i ddim yn gwneud dim arbennig ac fe deimlais i ryw fath o banic. Beth wnawn i yn ystod yr holl oriau oedd yn ymestyn o 'mlaen i? Roedd y stryd fel tasai hi wedi crebachu. Rhedeg ar hyd iddi fyddwn i bob bore ar y ffordd i'r ysgol ac fe fyddai'r pellter rhwng y tŷ a'r *bus stop* yn ymddangos yn ddiddiwedd. Ond y bore 'ma, er cerdded yn ara deg, roedd y pellter i'w weld gymaint yn llai. Beth wnawn i? Gwingwn wrth feddwl am orfod wynebu Mam a chyfaddef 'mod i wedi ffaelu.

Trois i mewn i'r siop fawr lle mae'r persawr yn hongian fel cyrtens piws tu mewn i'r drysau. Roedd e'n lle da i wastraffu amser. Crwydrais heibio i'r cownteri di-ri, a syllu ar y rhesi o ffrogiau hyll glas golau a samwn a gwyrdd, mor sâff, mor ddiddrwg ddidda. Fe deimlais i fwy o banic. Os na fyddwn i'n ofalus fe allwn i fynd i rigol lle y byddwn i'n credu bod trip i siop fel hon yn rhywbeth spesial. Taswn i'n ferch dda, fe fyddai 'ngŵr i'n prynu ffrog rayon a pholyester binc neu *beige* maint pedwar ar ddeg i fi. Dihangais i adran y plant, lle'r oedd 'na ferch feichiog â chrwtyn bach yn gwingo'n aflonydd mewn *push-chair* wrth ei hochr, yn byseddu *romper-suit* fach. Roedd ei hwyneb hi'n welw ac roedd 'na lun hwyaden ar flaen y *romper-suit*.

Pa hawl oedd 'da fi i ddymuno y byddai pethau'n wahanol oedd cwestiwn Mam. Beth oedd yn arbennig amdana *i*? Awyr las uwchben y byd. Hunlle o le oedd y siop. Trois ar fy sawdl a'i baglu hi o 'na. Mae'n rhaid 'mod i'n edrych yn gomic, â'r sgarff biws yn hedfan y tu ôl i fi. Ond doedd dim ots 'da fi. Mynd mas o'r hen le oedd yn bwysig.

Y tu fas ar y pafin roedd pethau'n waeth, a'r cwestiwn creulon—wel, beth wyt ti am wneud nawr 'te?—yn hofran uwch 'y mhen. Cerddais tuag at y stesion gan wneud 'y ngorau i roi'r argraff bod hast arna i a 'mod i'n anelu at rywle arbennig. Tasai Liz gyda fi—ond rhoi mefus ar ben jelis oedd hi. Ambell waith rown i'n casáu'r hen gaffi lle'r oedd hi'n gweithio.

Penderfynais ddal trên i rywle. Doedd 'da fi ddim syniad i ble—i rywle lle y byddai 'na *Job Centres* eraill falle. Fyddai 'na ddim gwaith i fi yn y rheiny 'chwaith, ond o leia fyddwn i'n gallach y tro 'ma ac yn gofalu peidio â chyfadde 'mod i'n bwriadu mynd 'nôl i'r ysgol. Roedd raid i fi gynnig am waith amser-llawn er nad oeddwn i'n bwriadu gweithio am fwy nag ychydig wythnosau. Edrychais ar fy llun mewn ffenest siop sgidiau, i wneud yn siŵr bod y sgarff yn dal yn ei lle—a stopio'n stond. Roedd 'na ddarn o bapur bach wedi cael ei sticio'r tu mewn ar y gwydr. Craffais arno. Hysbyseb am waith yn y siop oedd e. 'Na beth oedd lwc! Mae'n rhaid taw newydd ei roi e yn y ffenest oedden nhw neu fe fyddai dwsinau o bobol yn heidio ar ôl y swydd. Falle bod rhai yno nawr. Cerddais i mewn.

Doedd 'na ddim golwg o neb ond menyw mewn sgert dynn a blows ffrils yn polisho rhes o gadeiriau plastic. Fe gyrhaeddodd hi ben draw'r rhes cyn codi'i phen ac edrych arna i. Roedd hi'n hollol amlwg nad oedd hi'n meddwl llawer o 'ngwallt i, ond doeddwn i ddim yn meddwl llawer o'i gwallt hithau 'chwaith. Roedd e'n las, yn tyfu fel weiren o ganol ei phen. Allech chi dyngu taw *meringue* glas mawr oedd e.

'Wel?' meddai.

Pan ddwedais i 'mod i wedi dod i holi ynglŷn â'r job fe gododd hi'i haeliau pensil. Cwestiwn cymdeithasegol meddyliais. Beth yw'r gwahaniaeth rhwng gwallt glas a gwallt pinc?

'Wy'n siŵr bo' Mr Biggs wedi ca'l rhywun yn barod,' atebodd yn sych.

Yn sydyn cofiais am yr awdur a'i fenywod dwywaith y dydd. Oedd Mr Biggs yn ymosod ar fenywod tu ôl i'r cownter? Llwyddais i beidio â chwerthin yn uchel. 'Pwy yw Mr Biggs?'

'Y Manijer,' atebodd fel tasai hi'n sôn am Dduw.

'Fyddech chi'n fo'lon gofyn iddo fe? Wedi'r cwbwl, *ma*' 'na garden yn y ffenest.'

'Sdim isie'i boeni fe,' atebodd, gan drio'i gorau i edrych fel y frenhines. 'Sdim profiad 'da chi ma'n siŵr.'

Profiad. Y gair pwysig.

'Dyw e ddim yn sôn am brofiad,' meddwn i. 'Ta beth, ma' 'da fi bump lefel O a thair CSE.'

'Wel, fe sonia i wrtho fe pan wela i fe. Galwch 'nôl nes 'mlaen.'

Gwenodd a throi'i chefn arna i. Wig oedd ei gwallt hi, roeddwn i'n siŵr o hynny. Ac rown i'n siŵr y byddai hi'n esgus bod y gwaith wedi mynd taswn i'n galw'n ôl.

'Na,' mynnais, 'licen i weld y Mr Bigg 'ma nawr.'

'Mr Biggs.'

'Pwy bynnag yw e, licen i 'i weld e.'

Rown i'n sylweddoli taw bod yn lletchwith oeddwn i, ond doedd dim ots. Ymddangosodd rhyw ddyn bach main yn y drws y tu ôl i'r cownter. Tynnodd ei sbectol, craffu arnon ni a holi, 'Trwbwl, Mrs Morris?'

'Dim o gwbwl, Mr Biggs.' Roeddwn i'n disgwyl iddi rowlio wrth ei draed e fel rhyw spaniel bach. 'Ma'r ferch ifanc wedi ca'l gwbod bo' rhywun 'da chi mewn golwg ar gyfer y gwaith.'

Roedd 'na olwg hollol syn ar ei wyneb. Doedd ganddo ddim syniad beth ddylai ei ddweud. Fe wenais i fel heulwen arno.

'Gweld y garden yn y ffenest 'nes i ac fe licen i drio am y job. Ma' digonedd o *qualifications* 'da fi—wyth T.G.A.U.

—a fe ddylech chi ga'l rhywun ifanc. Ma' lot o bobol ifanc yn dod i'r siop 'ma, lot o'n ffrindie i.'

Edrychais i fwy ei lygaid, a gwenu arno fel na allai gymryd sylw o'r arwyddion roedd Mrs Meringue yn eu gwneud y tu ôl i 'nghefn i. Roedd e wedi ffwndro'n lân druan, ac yn cael ei dynnu rhwng y ddraig a finnau, a'i lygaid yn cael eu tynnu at 'y ngwallt i. Daliwn i wenu'n neis arno fe.

'Chi'n iawn am y bobol ifanc,' meddai. 'Ma' lot fowr yn prynu 'ma, yn enwedig ar ddydd Sadwrn . . .'

Fe ddiflannodd ei lais i rywle. Dechreuais innau seboni.

'Wel, ma' hi'n siop mor neis. Wy 'di prynu dwsine o sgidie 'ma.'

Rown i'n falch erbyn hyn nad oedd Liz gyda fi. Fyddai hi byth wedi llwyddo i gadw wyneb syth.

'Fyddech chi'n barod i ystyried y gwaith 'ma'n waith amser-llawn?' gofynnodd e'n sydyn.

'Wrth gwrs,' atebais ar unwaith. 'Ma' diddordeb mawr 'da fi mewn sgidie. Fydden i wrth 'y modd yn 'u cynllunio nhw. Ond ma'n rhaid dechre yn rhywle on'd o's e?'

Cyfrwys iawn. Fe ildiodd e, druan.

'Wel Miss—y?'

'Bowen. Sali Bowen.'

'Miss Bowen, fe gewch chi wthnos o dreial 'da ni. Iawn, Mrs Morris?'

'Dim fi sy'n penderfynu,' meddai hi'n swta, gan awgrymu taw fel arall y byddai pethau tasai hi'n cael ei ffordd.

'Reit 'te,' meddai Mr Biggs yn ddewr. 'Y . . . Sali, ontefe. Pryd licech chi ddechre, Sali?'

'Allen i ddechre nawr? Wedi'r cwbwl ma' hi'n fore

Llun. Newydd adael ysgol odw i chi'n gweld, a ma'n rhaid i fi ga'l gwaith.'

Gwisgodd ei sbectol a'u tynnu nhw eto.

'Wel,' meddai, 'pam lai? Fe allith Mrs Morris 'ych rhoi chi ar ben ffordd. Wedyn dewch i'r swyddfa i roi cwpwl o fanylion i fi. A—wel, croeso!'

Rown i jyst â'i gusanu fe. Ond ysgwyd dwylo'n barchus wnaethon ni. Doeddwn i ddim yn hapus 'mod i wedi dweud celwydd wrtho. Doeddwn i erioed wedi prynu pâr o esgidiau yn ei siop e a doedd arna i ddim isie cynllunio sgidiau chwaith. Hen siop fach ddiflas oedd hi a doeddwn i ddim yn bwriadu aros yno'r un funud yn hwy nag oedd raid i fi. Ond roedd rhaid bod yn galed yn yr hen fyd 'ma, ac ymladd am bopeth.

Rown i'n teimlo trueni dros Mr Biggs. Druan ag e, boi hanner cant oed â'i ysgwyddau'n grwm, wedi'i gondemnio am weddill ei oes i werthu sgidiau. Gwenodd arna i.

'Y peth cynta wy isie'i neud,' meddwn i, 'yw tynnu'r garden 'na o'r ffenest, rhag i rywun arall gymryd diddordeb yn 'yn job i!'

'Da iawn chi,' meddai, a gwenu cyn diflannu'n ôl i'w swyddfa. Sylwais ei fod e'n osgoi edrych i wyneb Mrs Morris.

Doedd dim hwyliau rhy dda ar Mam. Fe gafodd hi sioc 'mod i wedi llwyddo i gael job ond doedd hi ddim yn hapus ynglŷn â'r peth.

'Beth fyddi di'n goffod neud yn y siop 'ma?' gofynnodd, wrth ymosod ar y blodfresych.

'Gwerthu sgidie.'

Fe chwythodd hi fel trên, ac roeddwn i'n difaru 'mod i

wedi bod mor swta. Ond doeddwn i ddim yn gallu f'atal fy hunan.

'A gweud y gwir,' meddwn i wedyn, 'rhoi labeli ar y stoc newydd fues i bore 'ma, a sychu'r silffoedd. Ma' dydd Llun yn ddiwrnod tawel iawn.'

'Pam o'dd raid i ti hastu i ga'l job? Alli di ddim â diodde bod yn y tŷ 'ma am ddwy funud?'

Fues i jyst â dweud wrthi na, allwn i ddim, pan gofiais fod raid i fi ddweud wrthi nad oeddwn i'n bwriadu mynd i Saundersfoot. Fe fyddai hynny'n ddigon anodd heb ei hypseto hi ynglŷn â rhywbeth arall. Ond fe ddechreuodd hi ar ei chwyno.

'Ti'n dod gatre o'r ysgol a mynd yn strêt i dy stafell. Ti'n byw a bod 'da'r Liz Lewis 'na. Ti'n mynd gyda hi rownd-abowt i'r hen gaffi diflas 'na, a ma' hi'n dod 'ma bob dydd Sul. Pryd odw *i*'n ca'l dy gwmni-di?'

'Wy'n gwbod bo' chi ddim yn lico Liz,' meddwn i, 'ond alla i ddim dewis 'yn ffrindie i'ch plesio chi.'

Hen beth dwl i'w ddweud oedd e, ond roedd e'n haws na dechrau sôn am Saundersfoot.

'Ma' hynny'n amlwg,' meddai, a stwffio cudyn o wallt 'nôl. Pam na fyddai hi'n ei dorri fe, neu'n rhoi perm ynddo fe neu rywbeth? Gwallt melyn pert oedd e pan oedd hi'n ifanc, siŵr o fod, ond erbyn hyn roedd hi'n edrych fel merch fach hen iawn.

Er mwyn ysgafnu tipyn ar bethau, fe gynigiais wneud te.

'Gna fel lici di,' oedd ei hateb, ac fe gollais i 'nhymer yn lân.

'O ie, 'na fe! Chi'n synnu bo' fi ddim isie cadw cwmni i chi? Beth yw'r pwynt? Chi ddim yn hapus pan fydda i 'ma!'

Fe suddodd yn llipa i'r gadair wrth y ford, a rhoi'i phen yn ei dwylo. Cwympodd deigryn ar y plastic glas. Yn sydyn roedd hi'n annioddefol o dwym yn y gegin. Beth sy'n bod arna i, meddyliais unwaith eto. Mam, fy mam i, yw hon, ac mae hi'n anhapus, mae hi'n llefen. Rhois fy mraich amdani'n lletchwith.

'Sori. Do'n i ddim isie'ch ypseto chi. Wir . . .'

Ond roedd hi mor hawdd ei hypseto hi'r dyddiau hyn. Fe chwiliodd ym mhoced ei ffedog ac fe rois i hances bapur iddi o'r bocs ar y cwpwrdd.

'Sdim syniad 'da ti,' meddai, 'beth yw mynd o ddydd i ddydd heb bod ots 'da neb a wyt ti'n fyw neu'n farw.'

'Wrth gwrs bod ots 'da ni!'. Rown i'n teimlo fel ei hysgwyd hi, ond fe driais egluro.

'Chi'n troi popeth go whith. Sdim byd byth yn iawn. Fe gyniges i neud te i chi gynne, a fe wedoch chi "Gna fel lici di". Trio helpu o'n i, 'na i gyd.'

Pam oeddwn i'n gadael i bethau bach f'ypseto i?

'Ond ma' swper jyst yn barod!' llefodd. 'Wy 'di bod ar 'y nhra'd fan hyn yn grato caws. Fydda i byth yn yfed te yr amser 'ma o'r dydd. Ac fe fydd dy dad adre unrhyw funud.'

Ac mae e'n casáu *cauliflower cheese*. Ochneidiais. Doedd dim diben i ddim byd. Ond wedyn fe ddwedodd hi rywbeth arall.

'Achos bo' ti 'di ca'l job ti'n credu bo' hawl 'da ti i gerdded rownd a mynnu ca'l paneide o de fel ma' colier yn mynnu bod 'i wraig yn scrwbo'i gefen e.'

'Ma'n nhw'n ca'l bath yn y pwll nawr, Mam,' meddwn i, fel idiot. Syllodd yn drist arna i â'i llygaid coch.

'Ti'n trio 'nghamddeall i, on'd wyt ti.'

'Na'i diwedd hi wedyn 'te.

'Ambell waith,' gwaeddais yn greulon, 'allen i dyngu bo' chi off 'ych pen!'

Rhedais mas o'r gegin, rhoi clep i'r drws, rhedeg lan lofft a rhoi clep arall i ddrws fy stafell, a thaflu'n hunan ar y gwely. Roedd fy nhraed yn dost ac fe dynnais i'n sgidiau uchel. Wedyn fe dynnais y sgarff a'r siol, a gorwedd 'nôl. Doeddwn i erioed wedi meddwl bod pobol fel Mrs Morris yn gweithio mor galed. Rown i wedi blino'n lân. Roedd 'na ddagrau'n llosgi tu ôl i'n llygaid i. Roedd Mam yn llwyddo i wneud i fi deimlo'n hollol ddiflas.

Plentyn bach oeddwn i'r tro cyntaf y gwelais i hi'n llefen. Roeddwn i wedi dod i mewn i'r gegin o'r ardd â malwoden yn fy llaw i ddangos iddi. Rown i wedi bod yn edrych ar y falwoden am oriau yn llusgo'n ara bach o dan y blodau. Dringais ar ben stôl, ac wrth wneud, bwrw'r jwg laeth nes bod afon yn llifo dros y ford. Fe eisteddodd Mam a dechrau llefen fel tasai hyn yr ergyd olaf y gallai hi'i dioddef.

'Top y llaeth o'dd hwnna,' meddai. 'O'n i 'di meddwl 'i roi e ar y gwsberis.'

Rown i bron torri 'nghalon. 'Na beth oedd ei hymdrech fach hi, ac roeddwn i wedi bradu'r cwbwl. Fe welais i hi'n torri i lawr sawl tro ar ôl hynny, a phob tro rown i'n torri 'nghalon drosti. Ond gydag amser fe ddysgais i f'amddiffyn fy hunan rhag y tristwch drwy deimlo'n grac wrthi. Mae'n siŵr ei bod hi'n fy nghasáu i am beidio â'i charu hi. Fe ddechreuodd fy nghyhuddo o fod yn galed ac yn hunanol. Rown i'n dechrau meddwl ei bod hi'n iawn.

Clywais gât y ffrynt yn agor. Dad oedd yn cyrraedd adref. Yn hytrach na chwilota am ei allwedd roedd e bob amser yn mynd i lawr y llwybr at ddrws y cefn. Roedd hi'n bryd i fi'i siapo hi. Tynnais y ffrog ddu a gwisgo'r kimono a theimlais yn well yn syth. Beth allwn i wisgo drannoeth? Rhywbeth ysgafnach ta beth. Fe fyddai hi'n sbort gwisgo sgert dynn a blows wen fel rhai Mrs Morris. Ond fe fyddai hi'n meddwl 'mod i'n trio bod yn barchus. Es i lawr i'r gegin.

'Shwt wyt ti, cariad?' gofynnodd Dad. 'Ma' hi'n dwym on'd yw hi?'

Roedd e'n eistedd yn llewys ei grys ar y gadair wrth y ffenest ac roedd ei wasgod ar agor fel un cowboi. Druan â Dad. Doedd e ddim yr un dyn ar ddiwedd ei ddiwrnod gwaith â'r un smart, sionc, oedd yn mynd o'r tŷ ben bore. Roedd ei wyneb yn binc yn y gwres, a'i wallt brith yn codi fel brwsh rownd ei batshyn moel.

'Ody, ma' hi'n berwi,' atebais. 'Wy 'di bod yn gweitho mewn siop sgidie drw'r dydd.'

Arllwysodd Mam ddŵr y blodfresych i lawr y sinc gan droi'i hwyneb rhag y stêm. Edrychodd Dad arni er mwyn cael eglurhad o'r hyn rown i newydd ei ddweud. Ond y cyfan wnaeth hi oedd syllu i lawr y sinc fel tasai hi a'r blodfresych yn rhannu rhyw gyfrinach chwerw.

'Am faint wyt ti'n mynd i weithio yn y siop 'ma 'te?' holodd Dad.

Cyfaddefais 'mod i wedi dweud wrthyn nhw 'mod i wedi gadael yr ysgol. Fues i jyst â sôn am 'y mhenderfyniad ynglŷn â Saundersfoot. Ond roedd agwedd Mam yn fy mhoeni i.

'Gwranda,' meddai Dad, gan stwffio'i fys y tu ôl i goler ei grys, 'os wyt ti'n brin o arian . . . Sdim raid i ti weitho . . .'

Roedd Mam fel tasai hi ar fin dweud rhywbeth. Ond rhoi ochenaid ddofn wnaeth hi, a chodi'r blodfresych i bowlen. Wrth iddi arllwys y saws drosto, tasgodd peth ar y ford.

'Na, whare teg,' meddwn i, gan ysgwyd fy mhen nes 'mod i'n teimlo'r cyrls pinc yn ysgwyd hefyd, 'allen i ddim derbyn arian 'da chi. Ma' gormod o gas 'da fi. Ma' hi'n ddigon drwg goffod aros yn yr ysgol o hyd.'

''Na'r diolch ŷn ni'n ga'l!' meddai Mam, a thaflu'r bowlen i lawr ar y ford a thynnu'i ffedog. Roedd ei dwylo'n crynu. 'Helpwch 'ych hunen,' meddai wedyn. 'Sdim whant bwyd arna i.'

A mas â hi gan gau'r drws yn glep.

Cododd Dad a mynd at y sinc i olchi'i ddwylo.

'Ddim yn lico dy wallt di ma' hi.'

'Ddim yn 'yn lico *i* ma' hi weden i.'

Sychodd ei ddwylo ac ysgwyd ei ben.

'Ma' hi'n dy garu di ti'n gwbod. Ond ma' hi'n teimlo ar goll. Fydde dim yn well 'da hi na chadw pethe fel ma'n nhw. Fel'ny ma' hi'n teimlo'n saff. Ma'n rhaid i ti gofio hefyd bo'r oed 'na'n anodd i fenyw.'

Llygadodd y *cauliflower cheese* ac ochneidio.

'Well i ni fyta,' meddai, 'rhag i ni 'i hypseto hi 'to.'

Allwn i mo'i ddeall e. Doedd e ddim yn dangos unrhyw emosiwn. Oedd emosiwn yn mynd ar stop wrth i chi heneiddio ac wrth i'ch croen sychu a chrebachu fel hen ffrwythau? Oedd Dad erioed wedi teimlo fel rown i'n teimlo? Neu a oedd 'na wahaniaeth sylfaenol rhyngon ni? Eisteddodd i lawr a dal ei blat.

Pan oedden ni'n dau wrthi'n bwyta fe ddechreuais bregethu ynglŷn â ffaeleddau menywod.

'Pan fyddwch chi angen 'ych rhieni'n fwy nag ar unrhyw adeg arall, ma'ch mam yn diodde o'r *menopause* ac yn troi'n lwmpyn dagreuol o hunandosturi. Ond 'na fe, beth allwch chi 'i ddisgw'l 'da rhywun sy ddim ond wedi bod yn wraig ac yn fam drw'i bywyd? Ma'n rhaid 'i bod hi'n teimlo'n hollol ddibwys.'

Agorodd Dad ei bapur a'i bwyso fe yn erbyn y dorth. Falle'i fod e'n credu 'mod i'n ei feirniadu e fel gŵr ac fel tad. Ddwedais i'r un gair arall. Ambell waith fe fyddai Dad a fi'n cytuno'n grêt. Bryd arall, fel nawr, doedd arno fe ddim isie trafod. Rown i'n deall ei deimladau. Ond mae'n rhaid cyfaddef 'mod i wedi cael tipyn bach o siom y noson honno, yn enwedig gan 'mod i'n gwybod yn iawn ei fod e wedi darllen pob gair o'r papur 'na ar y trên.

3

Lle diflas iawn oedd y siop. Doedd 'na neb i siarad â nhw a dim byd i'w wneud. Ond pan ddaliodd Mrs Morris fi'n darllen *Cosmo* tu ôl i'r cownter fe ges i bryd o dafod.

''Ych dyletswydd cynta chi, Miss Bowen, yw bod yn barod am y cwsmeriaid. Fe ddylech chi fod ar 'ych traed, yn edrych yn eiddgar ac yn llawn diddordeb.'

Doeddech *chi* ddim yn edrych yn eiddgar ac yn llawn diddordeb y tro cyntaf y gwelais i chi, meddyliais. Ond y cyfan a ddwedais i oedd, 'Ond does 'na ddim cwsmeriaid yn y siop.'

'Fe all fod unrhyw funud,' oedd ei hateb parod. 'A falle taw Inspector fydd un ohonyn nhw.'

'Fe fydden i'n nabod hwnnw'n strêt,' meddwn i.

Tynnodd Mrs Morris ei cheg mor dynn fel taw llinell fach denau o lipstic coch oedd i'w gweld.

'Rhowch hwnna heibio ar unwaith, Miss Bowen, a pheidiwch â gadael i fi'ch dal chi'n 'i ddarllen e 'to.'

'Iawn, Miss,' meddwn i wrth ei chefn hi, a rhoi *curtsey* fach. Roeddwn i'n casáu'r fenyw.

I ddifyrru'r amser, dechreuais edrych ar y bobol oedd yn cerdded heibio. Roedd hi'n ddigon hawdd gwneud hyn wrth esgus rhoi trefn ar y rhesi o sgidiau glan môr oedd wrth y drws. Cawn dipyn o sbort yn dyfalu pwy fyddai'n dod i mewn i'r siop. Teimlwn fel corryn yn denu pryfyn i fentro i'w we. Ond doedd dim lot o sbort unwaith roedden nhw i mewn. Roedd y silffoedd yn orlawn o un esgid o bob pâr, a doedd dim angen fawr o help ar neb. Ar ôl iddyn nhw benderfynu, roedden nhw'n gofyn am yr esgid arall, ac os oedden nhw wrth eu bodd, yn talu amdanyn nhw. Fy ngwaith i oedd cymryd yr arian, rhoi'r sgidiau mewn bag, ac ail-lenwi'r silff. Byddai ambell fam i blentyn ifanc yn gofyn am help. Ond gyda'r hen wragedd y byddai'r sbort mwyaf. Doedden nhw byth yn gwneud unrhyw ymdrech i ddewis sgidiau, dim ond eistedd a disgwyl i fi redeg rownd nes eu bod nhw'n gweld y pâr iawn. Yn amlach na pheidio, fydden nhw ddim yn prynu dim yn y diwedd. Hen draed erchyll fyddai ganddyn nhw fel arfer, yn llawn cyrn ac yn gam i gyd. Ond roedd chwilio am ddwsinau o sgidiau'n well na gwneud dim ond syllu ar y cloc o hyd.

Roedd hi'n brysurach o lawer erbyn diwedd yr wythnos, ac ar y dydd Sadwrn doedd dim lle i droi. Roedd 'na ferched a oedd yn gwneud dim ond chwerthin wrth weld eu lluniau yn y drych. Roedd 'na wŷr blinedig yn llusgo rownd wrth gwt eu gwragedd. Ac roedd 'na deuluoedd cyfan yn llusgo rownd ar ôl ambell dad chwyslyd.

'Fi fydd yn trafod pobol sy isie prynu bagie,' meddai Mrs Morris yn bwysig. 'Ma' clo ar bob bag, fel gwelwch chi, a dim ond y staff hŷn sy'n cael yr allweddi.'

'Iawn,' atebais, a gwenu. Pwy yn y byd fyddai isie prynu'r hen fagiau hyll beth bynnag? Penderfynais aros wrth y cownter yn derbyn arian, ac erbyn hanner awr wedi deuddeg roeddwn i'n barod am f'awr ginio.

Roedd 'na ddigon o amser i fynd adref yn ystod yr awr honno, a byddai Mam wrth ei bodd taswn i'n gwneud hynny. Ond gwastraff fyddai cerdded yno a 'nôl, ac er bod ar Mam isie 'nghwmni i, fe fyddai hi'n llwyddo i wneud i fi deimlo'n euog am beri trafferth iddi. Roedd hi'n haws bwyta bara menyn yn y parc, yfed can o Goke a thaflu stwmpyn afal i'r hwyaid. Rown i mor falch cael f'ystyried yn 'weithreg'. Taswn i'n gorfod newid lle â'r rhai oedd yn mynd i hamddena yn y parc drwy'r prynhawn, fe fyddwn i wedi teimlo panic yn strêt. Cawn ryw bleser bach od yn edrych ar fy watsh a sylweddoli y byddai'n rhaid i fi symud ymhen pum munud. Roedd yr hunan-barch newydd 'ma'n lleddfu rhywfaint ar ddiflastod y gwaith.

Y prynhawn Sadwrn hwnnw fe ddaeth Liz i'r siop. Doedd y prynhawniau ddim yn drwm iawn yn y caffi, dim tan amser paratoi swper. Eisteddodd ar focsaid mawr o fflip-fflops.

'Ma' hi'n fishi ofnadw 'ma on'd yw hi,' meddai.

'Ody, a ma' hi'n dwym hefyd.'

'Ti'n lwcus. Ti ddim 'di goffod paratoi *potato croquettes* drw'r bore.'

Hwyliodd Mrs Morris heibio i ni, gan lygadu Liz. Roedd hi'n amlwg nad oedd hi'n meddwl rhyw lawer o'i thrywsus *chef* a'i chrys mawr gwyn.

'Nid dyma'r amser i gloncan 'da'ch ffrindie, Miss Bowen.'

Cododd Liz ei haeliau.

'Pam na newch chi esgus taw cwsmer odw i?' meddai. 'Fyddech chi'n teimlo'n well wedyn.'

Credais fod Mrs Morris yn mynd i fosto. Fe chwyddodd hi lan yn goch i gyd.

'Well i fi'ch atgoffa chi, Miss Bowen, taw yma ar wthnos o brawf ŷch chi. Ma' Mr Biggs yn cymryd sylw o 'marn i ar y materion hyn.'

Yr eiliad honno, â ninnau'n tair yn wynebu'n gilydd, fe gamodd boi mewn trowsus lledr heibio i ni. Roedd helmet felen, lachar yn hongian dros ei fraich.

'Pan ŷch chi i gyd wedi stopo cloncan, falle y pryna i bâr o sgidie,' meddai.

Roedd e'n craffu ar ryw sgidiau canfas, â'i ddwylo yn ei bocedi.

'Peidiwch â sefyll fanna'n neud dim, Miss Bowen,' meddai Mrs Morris. 'Helpwch y cwsmer.'

A bant â hi a'i thrwyn yn yr awyr.

'Yr hen fuwch,' meddai Liz. 'Well i fi fynd cyn i ti ga'l y sac.'

'Beth ti'n neud heno?' gofynnais.

'Wy'n rhydd tan bump ond wedyn wy'n gweitho tan ddeg. Wela i di fory.'

Neidiodd oddi ar y bocs a mynd mas. Roedd hi, Mrs Morris, yn dal i'n llygadu i o'r tu ôl i'r til. Edrych ar esgid Adidas oedd y boi yn y got ledr, ac yn ei throi hi yn ei ddwylo brwnt, yn gywir yr un peth â chimpanzee a welais i mewn *zoo* unwaith yn astudio can cwrw gwag yn ei ddwylo anferth.

'Ma' 'na bris uffernol ar rhain,' meddai'r boi.

Atebais fod digon o ddewis yn y siop, a dangos dau neu dri phâr iddo fe.

'Hen *rubbish* cardbord,' meddai wedyn.

Dyna pryd y sylweddolais ei fod e'n mynd i fod yn anodd.

'Beth am sgidie *baseball*?' gofynnais. 'Ma'r rheiny'n boblogaidd iawn.'

Pwysodd yn erbyn y wal a phlethu'i freichiau. Gwallt tywyll anniben oedd ganddo, ac roedd 'na olwg swrth iawn arno. Roedd hi'n amlwg ei fod e'n galed fel craig.

'Iawn 'te. Cer i hôl rhwbeth gwerth 'i weld.'

Fe fu bron i fi â dweud wrtho am fynd i'w nôl nhw'i hunan. Erbyn hyn roedd y siop yn orlawn a Mrs Morris yn canu cloch y til fel robot gwallgof. Druan â Mr Biggs, roedd e'n trio gwerthu sandalau i deulu cyfan gan gynnwys babi oedd yn cael sterics. Roedd Mrs Morris yn fy llygadu i o hyd. Doedd 'da fi ddim dewis ond cario llond 'y mreichiau o sgidiau *baseball* i'w dangos iddo fe.

'Ma'r rhain yn ddrud iawn,' meddwn, 'ond ma'n nhw'n gryf ofnadw. Ma'r rhai *Union Jack* 'ma . . . A beth am y rhai melyn pert 'ma?'

Fe ddechreuais feddwl pam 'mod i'n trafferthu. Doedd e ddim yn mynd i brynu sgidiau. Gwastraffu amser oedd e. Roeddwn i wedi gwneud yr un peth ddwsinau o weithiau. Hen dric oedd e ac fe allwn i ei nabod e o bell.

'Man a man i fi drio rhwbeth,' meddai gan ryw led orwedd ar gadair a thaflu troed ar un o'r stoliau. Yn amlwg, doedd e ddim yn bwriadu gwneud ymdrech i agor lasys ei sgidiau rhacs.

'Pwy seis?' gofynnais.

'Dim syniad,' atebodd. Rown i'n ymdrechu i gadw 'nhymer. O dan ei got ledr roedd e'n gwisgo crys heb goler, un gwyn, da, ond heb ei smwddio. Byddai wedi tynnu'n llygaid i mewn siop ail-law. A rownd ei wddw roedd 'na grafât cotwm coch.

Sylweddolodd 'mod i'n dechrau colli 'nhymer. Gwenu wnaeth e a gofyn, 'Ti ddim yn mynd i fesur 'y nhra'd i 'te?' Cydiais mewn tâp mesur a dechrau tynnu'i hen sgidiau drewllyd.

'O'dd mashîn mesur tra'd i ga'l pan o'n i'n grwt bach,' meddai. 'O'ch chi'n sefyll mewn twll, ac o'dd yr ochre'n cau am 'ych troed chi fel hyn.' Fe ddangosodd e â'i ddwylo. 'Brrr . . . Wedyn o'dd rhife'n dod lan ar y sgrin. Pam nag o's un fel 'na 'da chi fan hyn?'

'Seis deg ŷch chi isie,' meddwn i'n swta.

'Cer i weld beth alli di gynnig 'te, cariad.' Tynnodd focs baco o'i boced a dechrau rowlio sigarét.

Fe ddes i'n ôl â llond 'y mreichiau o sgidiau.

'Ma'r rhain . . . Ne' ma'r rhain,' meddwn yn ddigon amyneddgar. 'A wedyn ma'r rhai Union Jack 'ma . . .'

Fe bwysodd e'n ôl fel brenin a rhoi tap fach i'w sigarét nes bod y lludw'n mynd dros y carped i gyd.

'Dim Union Jacks i fi diolch yn fowr,' meddai. 'Ac ma'r Adidas lot ry ddrud. Fe dria i'r lleill 'na.'

'Iawn,' meddwn i. 'Allwch chi'u trio nhw tra bo' fi'n mynd at rywun arall. Ma' lot o bobol yn aros.'

'O na, cariad. Wy'n disgwl ca'l tipyn bach o sylw yn y lle 'ma. Wy'n disgwl i bobol fod yn neis wrtha i. 'Na beth yw dy job di, ontefe cariad?'

Yn sydyn, fe ffrwydrais. Neidiais ar 'y nhraed a dechrau gweiddi.

'Pwy hawl sy 'da chi i siarad â fi fel 'na? Dim dod miwn 'ma i brynu sgidie nethoch chi, ond i 'mhryfoco i.

Wel, allwch chi fynd i'r diawl, achos wy ddim yn mynd i ddiodde mwy!'

Roedd y siop orlawn fel y bedd. Rhuthrodd Mrs Morris ata i a sibrwd, ''Na ddigon, Miss Bowen!' Wedyn fe gyrhaeddodd Mr Biggs o rywle â golwg ofidus ar ei wyneb.

'Beth yn y byd sy'n digwydd 'ma nawr 'to?' gofynnodd.

Roedd munud fawr Mrs Morris wedi cyrraedd. Fe gododd ei haeliau bach pensil, gwenu'n fuddugoliaethus a sibrwd, 'Ma'n rhaid i chi gyfadde, Mr Biggs, nad yw Miss Bowen yn siwto'r gwaith 'ma wedi'r cwbwl.' A 'nôl â hi at ei thil.

Sylweddolais ar unwaith 'mod i wedi chwarae i'w dwylo hi. Roedd arna i isie llefen.

'Sdim ots 'da fi! Ma' 'na rai pethe na alla i mo'u diodde.'

Sylwais fod y boi yn y got ledr wedi rhoi'i ddwy droed ar y stôl, a'i fod e'n pwyso'n gysurus â'i freichiau wedi'u plethu y tu ôl i'w ben, â'i sigarét yn hongian mas o'i geg. Roedd e wrth ei fodd â'r holl hafoc roedd e wedi'i greu.

'Hen iâr yw'r fenyw 'na ontefe,' meddai wrth Mr Biggs. 'Ddylech chi ga'l 'i gwared hi. Ond ma'r pishyn 'na â'r gwallt pinc yn olreit, whare teg iddi. Dim lot o faners 'na i gyd.'

Edrychais i arno fe'n llawn casineb, ac fe wenodd a rhoi un droed dros y llall yn hamddenol. Roedd ganddo dwll yn ei hosan.

Doedd arna i ddim isie colli'n job. Rown i wedi bod mor lwcus yn ei chael hi yn y lle cyntaf. A doeddwn i ddim yn ffansïo wynebu Mam a chyfaddef 'mod i wedi cael y sac. Fel arfer ar ôl colli 'nhymer fyddai dim dal beth ddwedwn i. Ond nawr roedd rhaid troedio'n ofalus. Fe edrychais i'n ddiniwed ar Mr Biggs.

'Ddychmyges i ddim taw fel hyn y bydde pethe,'

meddwn i yn fy llais croten fach. 'O'n i'n credu taw jobyn bach teidi o'dd e.'

Fe lyncodd e'r cwbl. Fe sgwarodd ei ysgwyddau a wynebu'r boi.

'Sdim hawl 'da chi i drafod 'yn staff i fel 'na,' meddai. 'Ma'n rhaid i fi ofyn i chi adael y siop 'ma.'

'Iawn, Dad,' atebodd, a chwerthin. Wedyn fe chwifiodd ei sigarét i gyfeiriad y bocs llwch agosaf a gweiddi, '*Ashtray*.'

Druan â Mr Biggs. Roedd e mor gyfarwydd â chadw pob cwsmer yn hapus fe symudodd e'r bocs at y boi ac fe ddiffoddodd hwnnw'i sigarét rhwng ei fys a'i fawd a rhoi'r gweddill 'nôl yn ei focs baco.

'Reit 'te, pwy sy'n mynd i roi'n esgid 'nôl ar 'y nhroed i?'

'Neb,' meddai Mr Biggs.

'Na, fel 'ny o'n i'n meddwl,' gwenodd yn ddi-hid, cyn gwisgo'i sgidiau, cydio yn ei helmed a chodi ar ei draed.

'Hwyl, Dad,' meddai wrth Mr Biggs. 'Ti siŵr o fod yn falch o beth ti wedi'i neud heddi. Jobyn bach da dros dy wlad.'

Wedyn fe wincodd e arna i a dweud, 'Hwyl cariad, wela i di!'

Yn sydyn, roedd arna i isie chwerthin. Cerddodd yn hamddenol at y drws, a syllu'n hir ac yn llawn diddordeb ar ryw sandalau aur, cyn mynd mas. Es innau ar fy ngliniau i glirio'r sgidiau a syllais i fyw llygaid Mr Biggs.

'Fydda i ddim yn colli'n job, fydda i?' holais. 'Sori bo' fi wedi ateb y boi 'na'n ôl fel 'na. Ond tasech chi wedi clywed beth wedodd e . . .'

Dyn neis oedd Mr Biggs.

'Wrth gwrs na fyddwch chi'n colli'ch job,' meddai. 'Allwn ni ddim dechre plygu i'r hen yobs 'na, allwn ni?'

Sythodd ei ysgwyddau a rhoi plwc bach i'w siaced. Edrychodd yn herfeiddiol ar Mrs Morris cyn brasgamu'n bwrpasol at fenyw dew, chwyslyd a oedd yn berchen ar draed tew, chwyslyd llawn cyrn.

'Nawrte Madam,' meddai'n llawn busnes. 'Alla i'ch helpu chi?'

Roeddwn i'n amau hynny'n fawr fy hunan . . .

Roedd Liz wrth ei bodd pan glywodd hi'r hanes.

'Tr'eni bo' fi wedi mynd,' meddai. 'Meddwl am y Biggs 'na'n rhoi'r *ashtray* iddo fe! Ond 'na fe, fel 'na ma' rhai pobol. Dim hunan-barch. Fel 'na ma' Federico. Ma' fe'n mynd ar 'i linie o fla'n y cwsmeriaid. Ond stori arall yw beth ma' fe'n weud amdanyn nhw yn 'u cefne.'

Fe weindiais y gramoffôn a rhoi 'It's Sleepy Time Down South' Louis Armstrong 'mlaen. Er gwaetha'r holl graciau oedd ar y record, roedd sŵn y trwmpet yn diferu fel dŵr oer i ganol y bore braf. Doedd arna i ddim isie cau'r cyrtens heddi ar ôl treulio wythnos mewn siop dwym. Roedd pethau'n wahanol. Fe allwn i hyd yn oed dyngu bod yr haul yn wahanol.

'Alla i ddim stopo meddwl amdano fe,' meddwn i.

'Pwy? Mr Biggs?' Gallai Liz fod yn ddwl iawn ambell waith.

'Na. Y boi yn y got ledr. Pan o'dd e'n mynd mas, fe feddylies i'n sydyn bod y cwbwl yn gomic iawn. Dim ond deg munud fuodd e yn y siop, ond fe lwyddodd e i neud shwt hafoc.'

'*So what*?' Syllodd Liz ar ei llun yn y drych. 'Wy'n mynd i dorri 'ngwallt yn fyr, fyr.'

'Wel, os 'nei di, fydd raid i ti roi lot o liw arno fe ne' fyddi di'n edrych fel camel.'

'Diolch yn fowr! Pam odw i'n dala'n ffrindie 'da ti

gwed? . . . Beth ti'n feddwl, alli di ddim stopo meddwl amdano fe?'

Doeddwn i ddim yn siŵr a oedd arna i isie trafod y peth. Doedd arna i ddim isie ymddangos yn ddwl. Edrychais mas drwy'r ffenest a gweld Dad yn torri'r lawnt.

'Ma' fe ar 'yn meddwl i, 'na i gyd,' atebais. 'Pam 'nes i shwt ffys, gwed? Ma' fe siŵr o fod yn credu bo' fi'n nyts.'

'Beth yw'r ots beth ma' fe'n gredu? Boi bach yn trio dangos 'i hunan o'dd e ontefe?'

'Ie.'

Fe gyrhaeddodd Dad ben draw'r lawnt, a throi, gan ddal y *cable* mas yn ofalus rhag mynd drosto fe. Meddwl am ddwylo mawr y boi yn y siop oeddwn i, a'r ffordd deidi roedd e'n rowlio'i sigarét. A'r crafát coch rownd ei wddw . . .

'Ble ewn ni heno 'te?' gofynnais.

Syllodd ar ei hewinedd. Porffor oedden nhw heddi. Gan nad oedd hi'n cael gwisgo *varnish* yn y caffi fe fyddai hi'n mynd dros ben llestri bob dydd Sul.

'Wel, a gweud y gwir, wy'n mynd mas 'da Gary Weston. Weles i fe ar ôl d'adel di ddo'. Fe gelon ni goffi 'da'n gilydd.'

'Gary Weston? Pam y crîp 'na o bawb?'

Beth wnawn i heb gwmni Liz?

'Ti ddim 'di'i weld e oddi ar iddo fe adel 'rysgol,' meddai. 'Dyw e ddim yn crîp nawr. Wel, dim gymint ag o'dd e.'

'Beth ma' fe'n neud?'

'Gweitho mewn garej.'

'O . . .'

Dim ond sŵn trwmpet Louis Armstrong oedd i'w glywed.

'Gwranda,' meddai Liz, 'ma'n rhaid i fi fynd mas 'da pobol erill ambell waith.'

'Wrth gwrs,' atebais. Ac er mwyn lleddfu rhywfaint ar y tyndra fe ychwanegais, 'Ma'n rhaid i ni'n dwy. Er mwyn ca'l profiad.'

Gwyddwn yn iawn 'mod i'n saff wrth sôn am brofiad, y gair pwysig. Yr haf hwnnw, roedden ni'n credu y byddai diffyg profiad yn ein condemnio ni i blentyndod tragwyddol.

'Yn gwmws,' cytunodd Liz. 'Ma' hi'n ddigon hawdd *trafod* pethe. *Gneud* pethe sy'n anodd. Ti 'di sôn wrth dy rieni bo' ni'n bwriadu mynd ar wylie?'

Teimlais fy hunan yn mynd yn dynn i gyd.

'Na, dyw Mam ddim 'di bod mewn hwylie da iawn yr wthnos 'ma. Wy 'di penderfynu aros nes bod hi'n well.'

'Wel paid â'i adel e'n rhy hir. Os odyn nhw 'di trefnu, a thalu 'mla'n, fe gollan nhw'r arian os adewi di bethe tan y funud ola'.'

Doeddwn i ddim wedi meddwl am hynny.

'Liz, ŷn ni *yn* mynd on'd ŷn ni? Fyddi di ddim yn mynd bant 'da Gary Weston ne' rywun?'

'Wrth gwrs na fydda i,' meddai hi'n ddiamynedd. Tynnodd ei gwallt 'nôl o'i hwyneb a syllu yn y drych unwaith eto.

'Ma'n rhaid i fi dorri'r gwallt 'ma. Ma' hi mor dwym yn y blincin gegin 'na.'

Edrychais mas drwy'r ffenest eto, ac fe ddaeth y record i ben. Cododd Liz y fraich a'i rhoi'n ôl ar y clip. Fe ddaeth sŵn y mashîn torri porfa lan o'r ardd. Dwylo mawr . . . Crafat coch . . Crys gwyn heb ei smwddio . . .

Roedd Liz yn fy llygadu.

'Ti ddim 'di cwmpo am y boi 'na wyt ti?' gofynnodd.

Llifai'r haul i mewn drwy'r ffenest, dros y gwely a thros y llestr bach ar y silff ben tân oedd yn dal gweddillion y *joss sticks*.

'Na 'dw siŵr!'

Roeddwn i'n credu hynny'r diwrnod hwnnw, mae'n debyg.

4

Roeddwn i'n edrych 'mlaen at fynd 'nôl i'r siop bore dydd Llun. Sychais y silffoedd a'r cadeiriau, a rhoi mwy o sgidiau yn lle'r rhai oedd wedi'u gwerthu. Ond drwy'r amser rown i'n cadw llygad ar y drws, gan ddisgwyl iddo fe gerdded mewn â'i helmet felen dros ei fraich. Pan gerddodd rhyw foi mewn cot ledr heibio i'r siop, fe neidiodd fy nghalon lan i 'ngwddw, ac fe deimlais i'n hunan yn gwrido. Dyna pryd y sylweddolais 'mod i wedi cael 'y nal. Ond pan drodd y boi 'nôl ac edrych drwy'r ffenest, gwelais fod ei wyneb e'n sbotiau i gyd, a bod ei drwyn e'n fflat. Sut allwn i fod wedi'i gamgymryd am 'y moi bach i?

Fe es i draw i'r cornel y tu ôl i'r sandalau i ddechrau meddwl. 'Y moi bach i. Beth oeddwn i'n feddwl, 'y moi bach i? Boi a ddaeth i mewn i'r siop i wastraffu amser? Boi na fyddwn i'n ei weld byth 'to? Ond wrth ddweud hynny rown i fel taswn i'n gwneud 'y ngorau i ladd rhywbeth. Doedd 'na ddim pwynt i ddim byd. Cydiais mewn sandal a'i throi hi yn fy llaw, gan feddwl am yr esgid Adidas. Byth 'to. Byth. Fe deimlais i rywbeth yn codi yn 'y ngwddw, a'r cyfan oedd arna i isie'i wneud oedd llefen.

Sylweddolais fod Mrs Morris yn edrych arna i dros y silffoedd.

'Ma' hi'n amser i chi neud y te, Miss Bowen,' meddai.

Bant â fi i'r gegin fach ddiflas y tu ôl i'r siop, lle'r oedd 'na ddrewdod hen fagiau te a nwy. Cerddodd Mr Biggs i mewn a gofyn, 'Popeth yn iawn bore 'ma, Sali?'

'Iawn, diolch,' atebais. Doeddwn i ddim yn siŵr pam ei fod e'n gofyn. 'Unrhyw drwbwl fel 'na 'to, a dewch chi ata i'n strêt.'

Mae'n rhaid 'mod i wedi edrych yn ddwl arno fe, achos fe ychwanegodd, 'Sdim raid i chi ddiodde unrhyw nonsens 'da'r hen gryts 'na chi'n gwbod.'

'Iawn. Diolch yn fowr, Mr Biggs.' Ac nid esgus bod yn ddiolchgar oeddwn i chwaith. Byddai'n gas 'da fi orfod trafod y boi â'r sbotiau a'r trwyn fflat oedd newydd fynd heibio i'r ffenest.

Roedd gweddill y dydd yn wag. Fe es i i'r parc amser cinio, ond doedd dim awydd bwyd arna i, felly fe daflais y bara menyn i'r hwyaid. Yfais y *Coke* yn ara bach, ac yna magu'r tun gwag a syllu ar yr holl bobol oedd yn cerdded dan y coed. Ble oedd e'n gweithio? Ble oedd e'n byw? Mae'n rhaid ei fod e'n byw'n lleol. Fyddai neb call yn dod i'r dref ar brynhawn Sadwrn braf. Falle'r elech chi i Gaerdydd neu Abertawe. Ond dim i dwll o le fel hwn. Ond roedd gydag e feic. Falle'i fod e ar ei ffordd i rywle arall. Neu falle taw tin-droi oedd e cyn cwrdd â'i gariad.

Er nad oeddwn i'n gallu diodde'r syniad, fe ddechreuais ei ddychmygu e'n cwrdd â rhyw ferch bert, a gwenu arni a rhoi'i fraich amdani. Roeddwn i'n ei chasáu hi, er nad oedd hi'n bod . . .

Disgleiriai'r borfa yn yr haul. Roedd pobol fel tasen nhw'n cerdded mewn byd gwahanol. Nid fi oedden nhw. Rown i ar wahân, fel pysgodyn aur mewn bowlen, yn pipo mas ar bawb.

Es i'n ôl i'r siop a threulio'r prynhawn yn edrych ar y drws, â phob munud yn debycach i awr.

'Peidiwch â becso, ddigwyddith e ddim,' meddai Mr Biggs pan es i â phaned o de iddo fe.

'Na 'neith, chi'n iawn,' atebais. Bu bron i mi â dweud, 'Gwaetha'r modd,' ond fe wenais yn lle hynny.

''Na welliant,' meddai.

Daeth amser cau o'r diwedd. Taflais 'y mag dros f'ysgwydd a chodi llaw ar yr hen Mr Biggs. Roeddwn i wedi penderfynu 'i drin e fel tasai fe'n ddiffeithwch a taw fi oedd Oxfam. Roeddwn i mor brysur yn gwenu arno fe, doeddwn i ddim yn edrych i ble rown i'n mynd.

'Hei, watsha'i!' meddai rhywun.

Rown i wedi bwrw i mewn iddo *fe*. Teimlais fy wyneb yn gwrido. Yr unig beth oedd ar fy meddwl oedd y ffaith 'mod i'n gwrido, a'r unig beth allwn ei ddweud oedd, 'Wel, pam na watshi *di*!'

'Chest ti mo'r sac 'te.'

'Na. Fe adawodd Mr Biggs i fi aros.'

Pam na allwn i ddweud rhywbeth call, diddorol, doniol? Roedd e wedi bod yn rowlio sigarét.

'O's tân 'da ti?' gofynnodd.

'Na.' Rown i'n casáu smoco. Rown i'n casáu'r mwg a'r lludw, ac roedd Liz a finnau'n cytuno taw hen arferiad atgas oedd e. Ond y funud honno fe fyddwn i wedi bod wrth 'y modd taswn i'n smoco. Fe allwn i fod wedi tynnu taniwr o 'mag a chynnau'i sigarét e.

'Dal hwn,' meddai, a rhoi'i dun tybaco i fi. Roedd e'n dwym. Ar ôl chwilota yn ei bocedi fe dynnodd e fatsien fach bitw o'i boced.

'Ti'n fo'lon beto?' gofynnodd, a thynnu'r fatsien ar hyd pen-glin ei jîns denim. Taniodd y fatsien.

'Licet ti i fi glapo 'nwylo?' gofynnais.

'Jyst towla'r arian i fi,' meddai, a gwenu, cyn rhoi'r fatsien wrth y sigarét.

Fe ddechreuon ni gerdded ar hyd y stryd. Rown i mewn breuddwyd.

'O'n i isie gweud bo' fi'n sori am beth 'nes i ddydd Sadwrn,' meddai.

'Twt, wherthin am y peth 'nes i wedyn. Ond o't ti siŵr o fod yn meddwl bo' fi'n dwp yn mynd mor grac.'

'Dy bryfoco di o'n i, 'na i gyd. A fydden *i* 'di mynd yn grac yn dy le di 'fyd. 'Na pam wy 'di colli pob job fuodd 'da fi.'

'Beth ti'n neud nawr 'te?'

'Dim. Un o'r miliyne sy ar y dôl odw i. O'n i'n siŵr y bydden nhw 'di rhoi'r sac i ti. Ond o'n i'n mynd i ofyn iddyn nhw le o't ti'n byw.'

'O't ti wir?'

Fe gerddon ni 'mlaen am dipyn ac fe ddechreuon ni'n dau siarad ar unwaith.

'Gwed ti gynta,' meddai.

'Pwy siort o job licet ti?'

'Unrhyw beth. Cwiro mashîns golchi o'n i ddwetha. Ond fe a'th y ffyrm yn byst. Deunaw job wy 'di ga'l oddi ar gadel 'rysgol. *Rubbish* o'n nhw, bob un.'

'Ond beth *licet* ti neud?'

'*Engineer* falle. Wy'n lico dablan 'da *two-strokes*. Ond fydde raid i fi fynd i'r coleg. Sdim hyd yn o'd GCSEs 'da fi. Adawes i'r ysgol fel shot. Sa' i'n siŵr pwy o'dd balcha, nhw ne' fi! A tithe? Ti'n joio yn y siop 'na?'

Allwn i'm diodde'i fod e'n meddwl 'mod i'n ysu am lenwi sgidiau Mrs Morris. Eglurais taw cynllunio dillad oedd fy uchelgais, a bod raid i fi aros yn yr ysgol ond 'mod i'n gweithio yn y siop er mwyn cael digon o arian i fynd ar wyliau gyda Liz. Y cwbwl ddwedodd e oedd, 'Pob lwc i ti.'

'Beth arall o't ti'n mynd i weud?' gofynnais.

'Dim.'

'O't, gynne.'

'O, meddwl licet ti baned o goffi, 'na i gyd.'

'Iawn.'

'Yr unig beth yw,' ychwanegodd, â golwg ddiniwed ar ei wyneb, 'sdim arian 'da fi. Dim ceiniog . . . Ond fydda i lawr y DHSS fory.'

'Ble?'

Chwerthin wnaeth e. 'Wrth gwrs, fyddet ti ddim yn gwbod gan bo' ti 'rioed 'di bod ar y dôl.'

Roedd gas 'da fi. Fe gyrhaeddon ni gaffi Ron, ac fe agorodd e'r drws.

'Dere,' meddai. 'Wy'n fo'lon i ti brynu coffi bach i fi.'

Doedd dim lle gwag wrth y byrddau ond roedd dwy stôl wag wrth y silff yn erbyn y wal. Fe ddechreuais bysgota am arian yn 'y mag, ond fe ddwedodd e wrtha i am fynd i eistedd. A dyna wnes i.

Caffi Ron oedd y math o le roedd fy rhieni'n ei gasáu. Pan fydden ni'n bwyta mas fe fydden ni bob amser yn mynd i'r un lle Eidalaidd neu i'r lle Groegaidd. Ond doedden ni ddim wedi bod mas 'da'n gilydd ers amser. Tasen ni'n aros yn rhywle wrth deithio yn y car fydden nhw bob amser yn dewis rhyw le bach henffasiwn, â thrawstiau mawr du. 'Rhywle â chymeriad' fyddai disgrifiad Dad. Roedd digon o gymeriad 'da caffi Ron hefyd—os oeddech chi'n hoff o stwmps sigaréts mewn soseri. Teimlwn dipyn bach yn fentrus 'mond wrth eistedd 'na, ond gobeithiwn nad own i'n dangos hynny. Triais 'y ngorau i edrych yn ddidaro.

Fe ddaeth e â dau goffi a dau fisged siocled mewn papur arian, a gofyn, 'Beth yw dy enw di 'te? Wy'n lico gwbod pwy sy'n rhoi benthyg arian i fi.'

'Sali Bowen.'

'Tom odw i. Tomos John Jenkins.'

Ddwedais i ddim taw Sara oeddwn i i Dad a Mam. Pam oedden nhw'n mynnu dod i'n meddwl i o hyd? Fyddai pethau'n wahanol taswn i ddim yn byw gartref. Gofynnais i Tom ble oedd e'n byw.

'Gyda Dad,' meddai. 'Ma' Mam 'di mynd, ond ŷn ni'n dou'n byw yn y tŷ cownsil 'ma. Wy'n helpu i dalu'r rent. Sdim lot yn sbâr pan ti ar y Social, 'na'r unig beth.'

Atebais y byddwn i wrth 'y modd yn cael rhywle i fi'n hunan. Wedyn, rywsut, fe drodd y sgwrs at ferched oedd yn colli mas wrth briodi, ac fe ddechreuais i bregethu.

'Wedi'r cwbwl, sdim *raid* i chi briodi'r dyddie hyn. Sdim *raid* i chi ga'l babis. Beth yw'r holl hast 'ma i setlo lawr?'

'Yn gwmws,' cytunodd. 'Ta beth, ma' pobol yn newid shwt gymint. Alli di lico rhywun heddi a'u casáu nhw drannoeth. Alla i ddim diodde'r syniad o fyw 'da'r un person am byth.'

'Cachgi!' Gwenais. Gobeithiwn 'mod i'n rhoi'r argraff nad own i'n becso am beth oedd e newydd ei ddweud. Ond rown i wedi teimlo hen ias fach annifyr o siom. Un person—doeddwn i'n ddim mwy na hynny iddo fe. Yn sydyn sylweddolais 'mod i am iddo fe gymryd sylw ohona i. Roedd rheswm yn sgrechen arna i i fod yn ofalus. Ond doedd dim cacen o ots 'da fi. Cael bod yr un person pwysig ym mywyd Tom oedd yr unig beth ar fy meddwl.

Fe rois i bishyn punt ar y ford o'i flaen.

'Ma' wyneb 'da fi on'd o's e?' meddai. 'Cwrdd â merch

am y tro cynta a cha'l benthyg punt 'da hi. Dala i di'n ôl fory, wir.'

Rown i wedi cael 'y nhalu am yr wythnos gyntaf yn y siop ac rown i wrth 'y modd cael f'arian fy hunan yn 'y mhoced. Ac rown i'n mynd i weld Tom fory. Tomos, enw bach pert. Gwenais arno, ac fe wenodd 'nôl.

'Ta beth,' meddai, 'ma' fe'n esgus i ga'l dy weld ti 'to.'

'O's isie esgus arnat ti?'

Rhoddodd ei gwpan 'nôl ar y soser yn ofalus.

'Dyw pobol ddim mor galed â ma'n nhw'n edrych,' meddai.

Gwenodd eto.

'Ma'r bunt fach 'ma'n neud i fi deimlo'n saff. Sdim dal beth nelet ti nesa! Welest ti'r ffilm 'na ar y bocs ymbytu corynnod? Ma'r menywod yn byta'r dynion!'

Fe fuon ni'n trafod corynnod a phethau roedden ni wedi'u gweld ar rhaglenni natur.

'Licen i fod yn deiger,' meddwn i ar ôl trafod rhyw raglen am Bengal. 'Ewinedd a dannedd a neb yn dadle 'da fi.'

'A byta hen zebras bach. Druen bach â nhw . . .'

'Arnyn nhw ma'r bai am fod yn zebras. Trio toddi miwn i'r cefndir. Trio edrych yr un peth â phob zebra arall. Ma'n nhw'n hen bethe *boring*. Yn gwmws fel pobol.'

Ysgwyd ei ben wnaeth e, a chau'i lygaid fel bod ei aeliau'n cwrlo lan yn bert.

'Sdim byd mor *boring* ag yw pobol,' meddai. 'Ma' rhai pobol mor *boring* ma'n nhw'n boen.'

'Wy'n cytuno. Ma' bod gyda Mrs Morris fel grato caws crimplîn drw'r dydd.'

'Grato caws crimplîn!' meddai, a chwerthin.

Ar ôl tipyn fe adawon ni'r caffi a cherdded at ei feic. Fe eisteddodd e arno fe a'i gychwyn. Doeddwn i erioed wedi sylwi rhyw lawer ar fotor beics cyn hynny. Hen bethau trwm, swnllyd, yn llawn peipiau oedden nhw. Ond nawr, wrth edrych ar law Tom yn troi'r handlen a chlywed y rhuo dwfn, cawn y teimlad rhyfedd bod 'na bersonoliaeth yn perthyn i'r beic 'ma.

'Beth yw e?' gwaeddais.

'Honda Superdream.'

Tawelodd y sŵn rywfaint, ac fe ofynnodd a oedd helmet 'da fi. Ysgydwais 'y mhen.

'Fe dria i ga'l benthyg un,' meddai. 'Alla i ddim mynd â ti am spin fach heb un.'

Teimlwn yn benwan reit wrth ddychmygu mynd gyda fe ar gefn y beic. Dim oherwydd y peryg, ond am nad oeddwn i'n gallu dychmygu'r profiad.

Dwedodd Tom ei bod hi'n bryd iddo fe fynd. Roedd ei dad yn disgwyl iddo wneud te'n barod erbyn iddo ddod o'r gwaith.

'Tase job 'da fi, fe weden i wrtho fe am fynd i grafu, ond fel ma' pethe, man a man i fi'i gadw fe'n hapus.'

Dechreuais ddweud 'mod i'n deall a bod Mam yn awyddus i 'nghadw innau yn y tŷ, ond roedd sŵn yr enjin yn rhy uchel, a doedd e ddim yn gallu 'nghlywed i gan ei fod wedi gwisgo'i helmet. Beth bynnag, rown i'n teimlo braidd yn ddwl yn sefyll yno ar ganol y stryd yn siarad am Mam.

'Wela i di!'

Gwenais a chodi'n llaw.

Wedyn, roedd e wedi mynd, ac fe gerddais innau adref.

Drannoeth fe ddaeth i'r siop amser cinio. Roeddwn i mor brysur yn trio stwffio troed rhyw ferch fach i esgid 'synhwyrol', chwedl y fam, doedd dim posib i fi fynd ato'n syth. Fe dynnodd e froga bach tegan o'i boced a'i osod e i sboncio ar ben y til. Neidiodd llygaid Mrs Morris o'i phen. Roedd rhywbeth yn debyg i froga ynddi hithau wrth iddi blygu yn ei chwrcwd o flaen rhyw hen wraig fach. Tynnodd y ferch fach ei throed o'r esgid synhwyrol a rhedeg yn nhraed ei sanau i weld beth oedd yn digwydd. Rhoddodd Tom y broga iddi.

'Gna di fe,' meddai wrthi. 'Bil yw 'i enw fe.'

Roedd hi wrth ei bodd. Ond cododd y fam a chydio yn ei bag.

'Sdim byd i siwto 'ma, diolch,' meddai. 'Tracey, dere 'mla'n.'

Daeth Mr Biggs o'i swyddfa fel roedd hi'n stwffio'r broga'n ôl yn llaw Tom, ac yn llusgo'r ferch fach o'r siop. Tynnodd e'i sbectol a brasgamu draw ato fe.

'Sdim busnes 'da chi i ddod miwn i'r siop 'ma os nag ŷch chi isie prynu rhwbeth!'

'Cŵl it nawr, Dad bach,' meddai Tom, a gwenu. 'Aros i ga'l gair â Fflos draw fan'na odw i, 'na i gyd.'

Fe edrychodd e draw ata i cyn weindio'r broga a'i osod e ar ben y til unwaith eto.

Roedd golwg druenus ar wyneb Mr Biggs erbyn hyn. Edrychodd draw i 'nghyfeiriad i cyn agor ffeil fawr drwchus a byseddu'r pentwr o bapurau oedd ynddi fel tasen nhw'r pethau pwysicaf yn y byd.

'Fe gewch chi fynd i ga'l cino, Miss Bowen,' meddai Mrs Morris. 'A chofiwch beth wedes i wrthoch chi am—ffrindie—yn dod i'r siop.'

Fe roddodd hi bwyslais ar y gair 'ffrindie' ac edrych ar Tom fel tasai hi'n dymuno'i ladd e.

'O'ch chi siŵr o fod yn dipyn o bishyn pan o'ch chi'n ifanc,' meddai wrthi, a gwenu.

Fe gerddon ni i'r parc ac eistedd ar fainc wrth y llyn. Fe ges i'r bunt 'nôl, ac fe rannais i 'mara menyn gydag e. Dechreuodd sôn am ei dad. Allwn i feddwl taw dyn peryglus oedd e.

'Unweth geith e'i ypseto, sdim dal beth neith e nesa. Cadw mas o'i ffordd e yw'r unig beth allwch chi neud. 'Na pam adawodd Mam. O'dd e'n 'i bwrw hi. Ma' dyn arall 'da hi nawr . . . Dyw Dad byth yn twtsh yndo i. Dim nawr. Wy'n fwy nag e. Ond o'dd pethe'n wahanol pan o'n i'n grwt bach . . .'

Crychodd ei dalcen wrth feddwl am y peth.

'Fe roies i gotad iddo fe unweth, jyst ar ôl i Mam fynd. O'n i'n meddwl bo' fi wedi'i ladd e. Ambell waith fydden i wrth 'y modd 'sen i wedi . . .'

'Fyddet ti 'di mynd i'r jêl.'

Ond dim ond pymtheg oedd e ar y pryd, ac roedd pawb yn gwybod sut un oedd ei dad. Fyddai neb wedi'i feio fe.

Teimlwn ryw boen mawr wrth edrych ar Tom. Nid 'mod i'n teimlo drosto fe. Mae hynny'n rhy hawdd ac yn rhy nawddoglyd. Beth oeddwn i'n ei deimlo oedd tristwch a rhyw synnwyr o wastraff. Rown i fel taswn i wedi'i nabod e ers amser, ac eto'n methu'n lân â chynnig help iddo fe.

Fe astudiais ei wyneb wrth iddo siarad a thrio sylwi ar bob manylyn er mwyn cofio popeth nes 'mlaen. Mop o wallt anniben yn twmblo dros ei dalcen; y crychau bach yn ei fochau pan fyddai'n gwenu; ceg lydan a dannedd mawr, sgwâr. A'r llygaid. Llygaid mawr llwydlas, ac aeliau oedd mor dywyll ac mor drwchus allech chi dyngu'i fod e'n gwisgo mascara.

Y noson honno fe driais dynnu llun ei wyneb. Ond lwyddais i ddim. Dim ond gwahanol ddarnau rown i'n gallu'u gweld—ceg, gwallt, llygaid. Allwn i ddim eu rhoi nhw at ei gilydd. Fe daflais i un papur ar ôl y llall i'r fasged cyn penderfynu troi'n ôl at wneud lluniau o ddillad. Ond ches i ddim hwyl ar y rheiny chwaith.

Fe ffônodd Liz i ofyn beth oeddwn i'n bwriadu'i wneud brynhawn trannoeth gan fod y siop yn cau am hanner dydd.

'Beth am fynd i'r farchnad?' awgrymodd. 'Beth 'nest ti nos Sul?'

Roedd nos Sul oes yn ôl.

'Aros yn tŷ 'nes i,' atebais. 'Shwt o'dd Gary?'

'Iawn. Ma' fe'n eitha neis a gweud y gwir. Gwranda, weles i Maureen. Wedodd hi 'i bod hi wedi dy weld ti â rhyw foi mewn cot ledr. Dim hwnnw ddoth miwn i'r siop ife?'

'Ie.' Triais swnio'n ddifater.

'Cer o 'ma! Pam 'set ti wedi'n ffôno i i weud wrtha i?'

Gwyddwn yn iawn fod Mam yn gwrando. Roedd Dad wedi mynd mas ond roedd hi yn y gegin â'r drws ar agor.

'Ma'n well 'da fi aros nes wela i di.'

Roedd Liz yn deall yn iawn.

'Dere draw i'r caffi pan gei di gyfle fory,' meddai. 'Cer rownd y cefen, ond paid â chwmpo dros y binie!'

'Iawn,' atebais, braidd yn fflat. Roedd arna' i isie gweld Liz. A dweud y gwir roeddwn jyst â marw isie dweud yr hanes wrthi. Ond beth am Tom? Wyddai e ddim fod y siop yn cau amser cinio. Doeddwn i ddim wedi dweud wrtho. Ac er nad oedden ni wedi gwneud unrhyw gynlluniau, doedd arna i ddim isie trefnu'r prynhawn hebddo. Rhag ofn . . .

'Sali? Ody hynny'n iawn?'

'Ody, grêt.'

'Ti'n siŵr?'

Fe glywais Mam yn dod mas o'r gegin a hofran wrth ddrws y stafell fyw.

'Sali? Beth sy'n digwydd? Wyt ti 'na o hyd?' holodd Liz.

'Odw,' atebais, ac aros nes bod Mam wedi llusgo'i hunan lan y staer. Gallwn ei dychmygu hi'n pwyso'n flinedig yn erbyn y banister.

'Wela i di fory,' meddwn i.

'Olreit, wy'n deall. Ma' problem 'da ti. Ond paid â gadel iddo fe dy fecso di. Hwyl!'

Penderfynais fynd at Mam i ddweud wrthi na fyddwn yn mynd i Saundersfoot. Roedd e'n gyfle da gan fod Dad mas, ac fe fyddai hi'n haws ei thrin ar ei phen ei hunan. Roedd Dad mas yn aml yn y cyfnod yma.

Rhedais lan ar ei hôl hi. Roedd hi yn ei stafell, yn eistedd ar ei gwely yn byseddu ffrog hir las dros ei chôl. Roedd hi'n nerfus.

'Y ffrog y'ch chi'n wisgo i'r côr yw honna ontefe?' holais. Roedd hi'n perthyn i ryw gôr oedd yn canu cerdd dant.

'Ie,' atebodd, heb godi ei phen. 'O'n i'n meddwl falle y gallen i 'i gadel hi mas dipyn bach. Ma'r cyngerdd 'ma 'da ni'r wythnos nesa, a'r tro dwetha y gwisges i hi o'dd hi sheden fach yn dynn.'

Cododd ei llaw dros ei llygaid ac ysgwyd ei phen.

''Na ti beth ofnadw yw heneiddio,' meddai.

Peidiwch â dechrau llefen, ymbiliais arni yn 'y mhen. Plîs peidiwch â dechrau llefen neu fe deimla i'n grac 'to, a dweud pethau dwl. Fel tasai hi wedi 'nghlywed i fe dynnodd ei llaw o'i llygaid, ac roedd ei hwyneb yn dawel.

'Ond 'na fe,' meddai, 'ma' fe'n dod i ni i gyd.'

Eisteddais yn ei hymyl a chydio yn y ffrog a'i hastudio.

'Agor y darts 'ma sy isie,' dwedais. 'Dim ond i chi 'i smwddio hi'n iawn wedyn. Licech chi i fi 'i neud e?'

'Sdim isie i ti drafferthu.'

'Tasen i'm isie trafferthu fydden i ddim wedi cynnig. Ble ma'ch siswrn bach chi?'

Fe aeth i'w nôl e, ac fe ddechreuais ar y ffrog. Hen jobyn bach digon trafferthus oedd e gan bod raid agor pwythau'r sgert cyn agor rhai'r bodis. Fe fuon ni'n dwy'n dawel am ysbaid.

'Sori bo' fi 'di bod yn grac yn ddiweddar,' meddai o'r diwedd.

'Iawn.' Wedyn, tawelwch bach annifyr eto. Rown i'n dychmygu'n hunan yn dweud wrthi nad oeddwn i'n mynd i Saundersfoot, ond roedd y geiriau'n pallu dod. Penderfynais ddechrau paratoi'r ffordd. Cymerais wynt dwfn a thrio 'ngorau i swnio'n ddifater.

'O'dd Liz a finne'n siarad pwy ddwyrnod, ac o'n ni'n meddwl . . .'

'Liz,' meddai, ac ochneidio fel tasai hi mewn poen. A gan 'mod i'n gachgi, fe ddechreuais amddiffyn Liz. Unrhyw beth rhag sôn am Saundersfoot.

'Mam, ma' Liz yn olreit.'

'Pam na allet ti fod wedi dewis ffrindie bach arall? Rhai o'r merched bach neis 'na yn dy ddosbarth di, fel Dwynwen ne' Jennifer ne' Siân? O't ti'n neud tipyn â nhw pan o't ti'n iau. Ma'n nhw shwt ferched bach deallus. Ma'n nhw i gyd yn gobeitho mynd i'r coleg, on'd ŷn nhw?'

'O odyn, ma'n nhw i gyd yn neud y peth iawn.'

Doeddwn i erioed wedi gallu egluro, hyd yn oed i fi'n hunan, pam 'mod i'n teimlo mor wahanol i'r merched 'neis' yn yr ysgol. Rhyw deimlad ynglŷn â bod mewn clwb oedd e—dim rhyw bethau fel y clwb drama—ond y teimlad bod tebyg yn casglu at ei debyg gan fynnu rhyw ymddygiad arbennig. Fi oedd yr unig ferch yn ffrwd 'A' oedd yn gwisgo lipstic piws a brat arlunio oedd â chymaint o baent arno fe nes ei fod e'n sefyll lan ar ei ben ei hunan. Fel 'ny rown i'n lico 'mrat, ond roedd pawb arall yn meddwl taw trio tynnu sylw own i. Falle 'mod i. Hen le diflas oedd yr ysgol ond doedd merched y Clwb Neis ddim yn meddwl ei fod e'n ddiflas o gwbwl. 'Na pam doeddwn i ddim yn eu lico nhw, er 'mod i'n trio 'ngorau i beidio â dangos hynny. Ond fe wydden nhw'n iawn, ac roedden nhw wrth eu boddau'n chwarae cath a llygoden â fi. Roeddwn i'n llwyddo i sefyll 'y nhir yn iawn. Ond brwydr fach barhaus oedd hi o hyd, ac rown i wedi hen flino arni. Doedd y bechgyn ddim yn meddwl llawer ohona i chwaith. Ond doedd dim ots amdanyn nhw. Doedden nhw ddim yn cyfri. Plant oedden nhw.

Ond roedd Liz a finnau ar yr un donfedd. Roedd hi'n barod i drio unrhyw beth, a doedd hi ddim yn perthyn i'r Clwb Neis. Rhyw glwb arall oedd ei chlwb hi, ond doedd arna i ddim isie meddwl lot am hwnnw gan 'mod i'n rhy neis i berthyn iddo fe. Doeddwn i ddim yn perthyn yn unman.

'Beth yn y byd sy o'i le ar neud y peth iawn?' gofynnodd Mam â'i gên yn yr awyr. 'Ond 'na fe, ddeallith Liz Lewis hynny byth.'

'Sdim raid i neb 'i ddeall e!' Rown i ar fin dechrau pregethu, ond wnes i ddim. Rown i'n llwyddo'n eitha da i reoli'n nhymer y dyddiau hyn. Falle taw 'nghyfrinach fach newydd i ynglŷn â Tom oedd yn fy nghadw'n gall.

Fe ddychmygais ddweud wrth Mam fod cariad 'da fi oedd yn reidio motor beic, a bod ei dad wedi bod yn clatsho'i fam, a fues i jyst â chwerthin yn uchel. Daliais y ffrog lan o 'mlaen.

''Ma chi. Gwisgwch hi, ac fe roia i binne yndi hi, a'i rhedeg hi ar y mashîn.'

'Tynnu ar ôl teulu dy dad wyt ti,' meddai. 'Teilwried oedden nhw ti'n gwbod.'

Tynnodd ei ffrog gotwm dros ei phen a sefyll yno yn ei phais. Roedd hi wedi magu tipyn o bwysau rownd ei chanol ac roedd ei breichiau hi'n wyn ac yn feddal. Yn sydyn roeddwn i'n teimlo'n llawn cydymdeimlad tuag ati.

Felly, unwaith eto, fe gollais y cyfle i sôn wrthi am Saundersfoot. Neu o leiaf, dyna f'esgus i.

5

Roedd hi'n boeth iawn eto drannoeth. Wrth weld yr haul tanbaid tu fas ar y stryd rown i'n ysu am weld un o'r gloch a chael fy nhraed yn rhydd o'r siop am brynhawn cyfan. Fel roeddwn i'n cau'r drysau fe gerddodd Tom i mewn â helmet ddu a gwyn ar ei fraich yn ogystal â'r un felen. Fflachiodd llygaid Mrs Morris yn syth.

'Sawl gwaith ma' isie gweud wrthoch chi . . .'

'O dere 'mla'n, cariad,' meddai Tom wrthi, gan wenu'i wên angylaidd. 'Dod i hôl y wejen odw i, ontefe? Ti'n barod, Fflos?'

‘Pam ti’n ’y ngalw i’n Fflos?’ holais wrth i ni fynd mas. ‘Achos ’y ngwallt i ife? Ti ddim yn ’i lico fe?’

‘Odw siŵr. Ei di byth ar goll yng nghanol crowd! Beth yw ’i liw iawn e?’

‘Fel llygoden. A fel Mam. Licen i tase gwallt fel Dad ’da fi. Gwallt tew, tywyll sy ’da fe. Ond ma’ fe’n dechre’i golli e nawr.’

‘Diolch byth bo’ ti ddim yn debyg iddo fe ’te. Dere, gwisga hon.’

Fe roddodd e’r helmet ddu a gwyn i fi ac fe driais ei gwisgo.

‘Dim fel ’na,’ meddai. ‘Dim ar gefen dy ben. Rho dy ên miwn gynta.’

Roedd yn drwm ac yn anghyffyrddus, a’i hymyl yn cau am ’y mochau.

‘Cau’r strap yn iawn.’

‘Ond ma’ fe’n dynn ofnadw.’

‘Ma’ fe i fod yn dynn. Os yw e’n slac allith e fod yn ddansherus iawn, a neud mwy o ddrwg nag o les.’

‘Aw!’ gwaeddais wrth iddo wasgu’r helmet i lawr ar ’y mhen.

‘’Na ti,’ meddai pan oedd e’n hapus ei bod hi yn ei lle’n iawn.

‘Ble gest ti hi?’ holais. Swniai fy llais i’n od, ac wrth i fi siarad roedd ’na niwlen fach yn ffurfio ar y *perspex*.

‘Ges i fenthyg hi. Mêt i fi wedi crasho’i feic. Ond ma’r helmet yn iawn. Cofia, hen ddillad dwl yw’r rheina i fynd ar gefen beic.’

Gwisgwn sgert fach gotwm a blows ffrils, a sandalau uchel am ’y nhraed. Eglurais nad oeddwn wedi bwriadu mynd ar gefn beic.

‘Beth o’t ti’n mynd i neud ’te, â’r siop yn cau’n gynnar?’

Roedd e fel tasai'n awgrymu y dylwn fod wedi cymryd yn ganiataol 'mod i'n mynd i dreulio'r prynhawn ar gefn y beic. Ond yn lle teimlo'n grac ag e, rown i'n grac â fi'n hunan am beidio â gwisgo dillad mwy synhwyrol.

'Ble ŷn ni'n mynd 'te?' holais.

'Ble licet ti fynd? Lan y môr? Mas i'r wlad? Gwêd ti.'

Fe ddechreuais feddwl yn negyddol, yn union fel y byddai Mam yn ei wneud.

'Sdim gwerth i ni fynd i lan y môr. Erbyn i ni gyrraedd fe fydde hi'n amser dod o 'na.'

'Fydden ni 'na 'mhen awr,' meddai.

Yn sydyn, cofiais am Liz. Eglurais na allwn i ddim mynd i unman heb fynd i'r caffi i ddweud wrthi.

'Ond fydd hi ddim yn lico bo' ti'n newid y trefniade,' meddai. 'Os wyt ti wedi addo mynd 'da hi, well i fi ddiflannu.'

'Na! Paid!'

Rown i mewn tipyn o banic.

'Fydd Liz yn deall yn iawn.'

'Whare teg iddi.'

Teimlwn fod 'da fi berffaith hawl i wneud fel y mynnwn. Os oedd hi'n iawn i Liz fynd mas gyda Gary roedd hi'n iawn i finnau fynd mas gyda Tom. Doedd ganddi ddim hawl i ddweud dim—a wnâi hi ddim, chwarae teg iddi.

Fe gyrhaeddon ni'r beic a thynnodd Tom e'n rhydd o'i stand.

'Ti 'di bod ar gefen beic o'r bla'n?' gofynnodd.

Wrth i fi ysgwyd fy mhen, rhwbiai'r helmet i mewn i 'nghlustiau i.

'Wel, ishte'n agos ata i, a phaid â thrio pwyso drosodd.

A chadw dy dra'd yn glir o' wrth yr *exhaust*. Ma' fe'n mynd yn dwym ofnadw.'

'Beth ti'n feddwl, pwyso drosodd?'

'Ma' ambell un yn trio helpu'r beic i fynd rownd corneli. Os o's dou'n tynnu'n gro's iddi gilydd, allech chi fod mewn trwbwl mowr.'

Roedd e'n codi braw arna i. Dringodd ar gefn y beic a dweud, 'Dere 'te.' A lan â fi y tu cefn iddo.

'Iawn? Cydia'n sownd yn dy fag. Paid â gadel iddo fe hongian lawr.'

A bant â ni. Roedd e'n deimlad gwych, er ei bod hi'n wyntog iawn i ddechrau.

'Dere'n nes,' gwaeddodd dros ei ysgwydd. Closiais ato nes bod ein cyrff ni'n cyffwrdd yn agos, agos. Rown i'n cydio yn 'y mag ag un llaw, ac roedd y llall rownd ei ganol e. Teimlwn yn hollol saff.

'Ble ma'r caffi 'ma 'te?'

'Ar y dde wrth y goleuade,' gwaeddais yn ei glust.

Caeais fy llygaid wrth i ni fynd rownd y cornel. Ond ar ôl dau neu dri chornel arall roeddwn i'n iawn, ac fe stopon ni'r tu fas i ddrws cefn Mario's. Roedd Liz yn sefyll yno, â'i bag yn ei llaw. Pan welodd hi fi ar gefn y beic fe ochneidiodd a dweud, 'O, blydi grêt ontefe!'

Fe ddes i oddi ar y beic a thrio agor fy helmet. Ond rown i'n cael trafferth.

'Sdim isie i ti drafferthu i dynnu honna,' meddai Liz. 'Wy'n gallu gweld bo' ti ar y galifánt 'da'r boi 'ma.'

Fe ddaeth Tom ata i i helpu. Roedd e wedi tynnu'i helmet ei hunan a chafodd e ddim trafferth i dynnu f'un i.

'Gwranda,' meddai wrth Liz, 'wy ddim isie cawlo'ch prynhawn chi. O'n i'm yn gwbod bo' ti a Sali 'di neud trefniade.'

Dyna'r tro cyntaf i fi ei glywed e'n dweud f'enw i.

'Fel ma' hi'n digwydd,' meddai hi'n hamddenol, 'ma' parti mowr yn dod miwn 'ma heno, a ma' lot o waith 'da ni. Dod mas i weud na allen i'm dod 'nes i.'

Doedd Tom ddim yn ei chredu.

'Ond ma' bag 'da ti,' meddai.

'Mynd i Boots i nôl Tampax odw i, ontefe?'

Edrychodd Tom arna i am arweiniad.

'Wel, os ti'n siŵr 'te Liz,' meddwn i.

'Wrth gwrs bo' fi'r dwpsen. Cer nawr—a bydd yn ofalus.'

Fe roddodd hi winc fach arna i a dweud, 'Ffôna i di.'

'O.K.,' atebais. 'A diolch.'

'Pam ti'n diolch i *fi*?' gofynnodd, a cherdded i lawr y ffordd, ei gwallt golau'n ysgwyd o ochr i ochr, a'i bag denim yn hongian yn ei llaw.

'Croten neis,' meddai Tom.

'Ody,' cytunais, yn hapus ei fod yn ei lico hi. 'Celwydd o'dd y busnes 'na bo' 'na barti heno ti'n gwbod.'

'Wy'n gwbod yn iawn,' meddai. 'Reit 'te, ble ŷn ni'n mynd?'

Roeddwn i wedi bod yn trio penderfynu. Doeddwn i ddim yn cofio enwau'r pentrefi bach diflas oedden ni'n mynd drwyddyn nhw wrth grwydro gyda'm rhieni yn y car. Ond roeddwn i'n cofio am Landeilo. Fe fydden ni'n aros i gael te 'na ac roedd 'na le bach neis i fynd am dro wrth yr afon.

'Llandeilo,' meddwn i.

'Llandeilo amdani 'te.'

A bant â ni.

Roedd hi'n ddiwrnod bendigedig. Er 'mod i'n eithaf cyfarwydd â'r dref, rown i fel taswn i'n ei gweld hi am y tro cyntaf, ac roedd hi'n hollol wahanol i'r hyn rown i'n ei gofio. Te bach sidêt mewn caffi tywyll, henffasiwn oedd y drefn gyda Dad a Mam a finnau'n gweddïo na fyddai'r un ohonyn nhw'n dewis y *chocolate éclair*. Wedyn cerdded i lawr y stryd a syllu i ffenestri siopau *antiques*.

Roedd heddiw'n wahanol. Roedd 'y nghoesau'n sigledig ar ôl bod ar y beic, ac roedd popeth i'w weld yn llai o faint. Fe adawon ni'r beic ar y stryd y tu fas i siop fara, a cherdded at yr eglwys. Roedd yr olygfa'n wych.

Cydiodd Tom yn fy llaw ac fe grwydron ni rhwng y cerrig beddau. Roedd yr haul yn gryf ac roedd pobman yn dawel. Rown i'n benderfynol 'mod i'n mynd i gofio pob manylyn bach ynglŷn â'r diwrnod arbennig yma.

Cyfaddefodd Tom ei fod e'n blino ambell waith ar fyw yn y dref. Ond pan ofynnais iddo a fyddai'n well 'da fe fyw yn y wlad fe grychodd e'i drwyn ac edrych rownd ar y coed a'r awyr las a'r bryniau yn y pellter.

'Sa i'n siŵr,' atebodd. 'Ma'r byd 'ma'n lle mowr. Fues i'n styried joino'r Merchant Navy, ti'n gwbod.'

Fe deimlais i'n syth fod 'na gysgod wedi cwympo dros y prynhawn braf.

'Na, paid,' meddwn i, a difaru ar unwaith achos fe ofynnodd, 'Pam?' ac edrych i fyw fy llygaid.

Triais 'y ngorau i ymddangos yn ddi-hid.

'Wel, newydd ddod i nabod 'yn gilydd ŷn ni, ontefe?'

Fe drodd e i edrych arna i'n sydyn.

'Drycha 'ma, Fflos,' meddai, 'paid â dechre towlu rhaff amdana i. Ti'n ferch neis ofnadw, a wy'n meddwl y byd ohonot ti. Ond ugen oed odw i, sdim job 'da fi, a ma' 'na lot o bethe licen i neud yn yr hen fyd 'ma. Pan weles i'r gwallt 'na a'r ffordd droiest ti arna i yn y siop, o'n i'n meddwl taw merch o'dd ddim yn becso'r dam am neb o't ti. Rhywun sy'n lico bod yn hi'i hunan.'

''Na beth odw i! Ma' 'da *fi* 'mhlans hefyd—ymbytu neud cwrs ffasiwn a mynd i Lunden a Pharis a . . .'

Stopiais i gael 'y ngwynt. Roedd y cyfan mor boenus ac eto roeddwn i'n dweud y gwir.

'Fel gwedes i wrthot ti, ma' menywod sy'n rhoi stop ar bopeth er mwyn priodi a setlo lawr off 'u penne,' meddwn. 'Drycha ar Dad a Mam. Fydde well 'da fi farw na bod fel nhw!'

'Iawn 'te,' meddai, ac fe gerddon ni 'mlaen am sbel. 'O'n i isie ca'l hynna'n strêt,' meddai wedyn. 'Ma' lot o ferched yn 'y ngalw i'n fastard pan weda i wrthyn nhw bo' fi ddim isie ca'l 'y nghlymu. Ma'n nhw'n credu bo' fi wedi'u gadel nhw lawr. Y tro nesa, feddylies i, fe weda i wrthi'n strêt, "Dim strings". Fyddwn ni'n dou'n gwbod ble ŷn ni'n sefyll wedyn.'

'Grêt!' meddwn i'n hapus reit. Doedd 'na fawr arall y gallwn ei ddweud, a rhyw wythnos ynghynt fyddwn i ddim wedi meddwl ddwywaith am y peth.

Erbyn hyn roedd yr eglwys rhyngon ni a'r haul. Roedd hi'n oerach ac yn dywyllach yn y fan hon, a doedd 'na ddim blodau, dim ond iorwg ym mhobman. Mewn cornel bach cyfyng o dan wal uchel fe sylwais ar garreg fedd fach yng nghanol y borfa hir.

'Gethon nhw afel yn rhywun bach ar y diawl fan'na on'd do fe?' meddai Tom.

Plygais i graffu ar y garreg. Allwn i ddim darllen yr enw ond roedd 'yn bum mis oed' yn weddol glir yng nghanol y mwsog.

'Babi bach o'dd e,' meddwn.

Fe gerddon ni 'mlaen eto. Ond roedd trasiedi'r garreg fedd yn pwyso arna i. Roedd rhywun wedi torri'i chalon dros y babi 'na, a nawr gorweddai mewn hen fynwent unig a neb yn cofio dim amdano. A doedd Tom byth yn mynd i 'ngharu i.

Yn sydyn gwyddwn 'mod i'n mynd i lefen. Syllais ar hen becyn crisps gwag a orweddai'n swpyn gwlyb ar y llwybr, a theimlais ddeigryn yn mynd i lawr fy moch.

Syllodd Tom arna i'n syn. Wedyn fe roddodd ei freichiau amdana i a gofyn beth oedd yn bod.

'Sori,' atebais, a thwrio yn 'y mag am hances. 'Fydda i wastad yn llefen pan feddylia i am bethe trist.'

Llwyddais i wenu arno a chwythu 'nhrwyn. Wedyn fe gusanodd e fi. Yr eiliad honno, diflannodd y diflastod a'r unigrwydd.

'Ti'n neis ofnadw,' meddai Tom, a'i lais braidd yn gryg.

Fe gyrhaeddon ni ochr draw'r eglwys lle'r oedd yr haul yn danbaid unwaith eto. Teimlwn fel taswn i newydd ddihuno o hunllef.

'Dere mas o'r blydi fynwent 'ma,' meddai Tom. 'Ma'r lle'n hala'r crîps arna i.'

Roedd 'na fan hufen iâ ar y stryd.

'Dere Fflos, bryna i *choc-ice* i ti.'

Fe redon ni fel plant bach at y fan ac fe brynodd e ddau *choc-ice* drud mewn papur lliw. Cynigiais dalu amdanyn nhw ond ysgwyd ei ben wnaeth e.

'I bwy les ma'r *dôl*'te?' meddai. Ac fe ballodd e wrando pan ddwedais taw fe oedd wedi talu am y petrol.

Fe eisteddon ni ar sêt i fwyta'r *choc-ice*. Rown i'n dyheu am iddo 'nghusanu i eto. Doeddwn i erioed wedi teimlo fel'ny gyda bechgyn eraill. Ond doedd Tom ddim fel bechgyn eraill. Doedd Tom ddim fel neb arall.

Ar ôl bwyta'r *choc-ice* dyma fi'n cau fy llygaid. Dechreuais ddychmygu 'mod i'n byw mewn rhyw fwthyn bach mewn lle tebyg i hwn. Roedd 'na botiau o jam cartref ar silffoedd y pantri ac eisteddwn tu fas i ddrws y cefn mewn sgert hir las â ffedog wen drosti, yn masglu pys. Roedd Tom yn cerdded tuag ata i ag oen bach ar ei ysgwyddau.

'Beth 'newn ni heno 'te?' gofynnodd Tom.

'Wedes i'm wrth Mam y bydden i mas. Fydd hi'n 'yn nisgwyl i'n ôl i swper.'

'Ffôna hi 'te.'

Edrychais arno a thrio dychmygu beth fyddai Mam yn ei ddweud taswn i'n dweud wrthi 'mod i wedi dod i Landeilo gyda rhyw foi ar gefn motor beic. Ond rown i'n benderfynol ei bod hi'n mynd i orfod derbyn y peth, a doeddwn i ddim yn teimlo cynddrwg wedyn.

'Beth 'newn ni 'te?' holais.

'Dewis di.'

Ar ôl bwyta'r hufen iâ roedd arna i isie mwy o fwyd. Ond falle'i fod e'n brin o arian.

'Beth am ga'l Chinese yn rhywle,' awgrymodd. 'A wedyn, ca'l drinc fach a whare *Space Invaders*.'

'A' i i ffôno Mam,' meddwn i, a chodi ar 'y nhraed.

'Pam na arhosi di nes bo' ni'n cyrra'dd 'nôl? Fydde fe lot rhatach na ffôno o fan hyn. Faint o'r gloch yw hi, hanner awr wedi pedwar?'

'Ugen munud wedi,' atebais ar ôl edrych ar 'yn wats.

'Sdim isie'i throi hi 'to o's e?' meddai. 'Dere i ni ga'l ffindo rhywle gwell i ishte. Dim ond plant a chŵn sy fan hyn.'

Fe gerddon ni drwy'r dref nes cyrraedd rhyw ffordd fach gul oedd yn arwain lan y bryn. Fe ddilynon ni hon am dipyn cyn troi ar hyd llwybr bach cul a ddringai'n reit serth. Fe drois i ac edrych 'nôl at y dref ac at res o fythynnod bach yr ochr bellaf i'r ffordd fawr.

'Yn un o'r tai bach 'na o'n ni'n arfer ca'l te,' meddwn i.

'Wel paid â meddwl y galli di'n llusgo *i* 'na!' meddai dan chwerthin. 'Teirpunt am gwpwl o scons a llwyed o jam? *No way*!'

'Cytuno'n llwyr!'

Fe ddringon ni dros gamfa fach a chyrraedd dôl oedd yn ymestyn i lawr at yr afon. Roedd y borfa'n hir ac yn disgleirio'n arian yn yr haul.

''Na welliant,' meddai Tom. ''Ma beth yw bod yn y wlad!'

Fe gerddon ni drwy'r borfa hir nes ein bod ni'n bell o olwg pawb a phopeth. Wedyn fe eisteddon ni ac fe roddodd Tom ei fraich am f'ysgwyddau. Fe drois i ato fe, ac fe gusanon ni.

Wedyn fe orweddon ni, ac fe roddodd e'i law y tu mewn i 'mlows i, a byseddu 'mron drosti i gyd nes 'mod i'n teimlo rhywbeth od yn mynd drwydda i.

'Ti ar y bilsen?' sibrydodd.

Fues i jyst â dweud wrtho fe 'mod i. Ond 'Na' ddwedais i. Fe dynnodd e'i law o 'mron a dechrau cribo'i fysedd drwy 'ngwallt i.

'Ti 'di 'i neud e o'r bla'n?'

'Na . . . Wel, ma' lot o fechgyn wedi trio. Ond sdim lot o gyfle pan ti'n byw gartre o's e?'

'Paid â becso.' Cododd ar ei eistedd a syllu draw dros yr afon cyn troi'n ôl i edrych arna i.

'Wyt ti isie?' holodd.

Chwerthin wnes i a dweud, 'Wrth gwrs!' Ac rown i'n dweud y gwir.

'Well i ti neud rhywbeth ymbytu fe 'te.'

Gwingais wrth feddwl am yr hen Doctor Watkins. Ddwy flynedd 'nôl fues i ato fe ddiwetha pan oedd sinusitis arna i.

'Wel, wel, wyt ti 'di tyfu'n groten fowr!' meddai.

Gwisgai wasgod fach a phefriai'i lygaid drwy'i sbectol henffasiwn. Ac roedd ei ddwylo'n dew. Na, allwn i byth â thrafod â Doctor Watkins.

Gwthiodd Tom fi'n ôl ar y borfa'n dyner, ac fe gusanon ni'n hir.

'Paid â becso am y peth,' meddai. 'Fe enjoiwn ni'n hunen. Ddyle neb fynd ar y pil oni bai bo' rheswm da 'da nhw.'

Tynnodd ei got ledr a'i rhoi ar y borfa o dan ein pennau. Crys cotwm gwyn heb goler oedd amdano fe fel o'r blaen, ac fel o'r blaen, roedd e heb ei smwddio. Agorais ddau neu dri botwm a rhwbio'n llaw yn ei frest. Ychydig o flew oedd 'na, ac roedd ei groen yn llyfn ac yn frown.

'Oxfam?' holais wrth fyseddu'r crys gwyn.

'Shwt o't ti'n gwbod?' meddai, a chwerthin.

'Sdim stwff fel'na yn y siope'r dyddie hyn ti'n gwbod. Ma' fe'n neis ofnadw.'

'Licen i ga'l lot o arian,' meddai. 'Dim i brynu dillad. Fydden i'n hala ar lot o bethe arall gynta.'

'Fe 'na i grys i ti.'

'Grêt!' Gwenodd.

Roedd yr haul wedi dechrau suddo'r tu ôl i'r rhes o goed llwyfen ym mhen draw'r ddôl. Roeddwn i jyst â llwgu ond doedd arna i ddim isie torri ar draws y diwrnod bendigedig 'ma.

O'r diwedd fe godon ni a brwsio'r borfa oddi ar ddillad ein gilydd. Wrth gerdded ar draws y ddôl edrychais yn ôl ar y borfa fflat lle'r oedden ni wedi bod yn gorwedd, a theimlo rhyw ias rhyfedd wrth feddwl na fyddai dim olion ohonon ni erbyn trannoeth. Yn sydyn, deallais yn iawn pam y torrai cariadon eu henwau ar goed. Gallwn ddychmygu rhedeg 'y mys ar hyd y llythrennau ymhen blynydde a chofio'r diwrnod y cerfiwyd nhw.

Roedd hi'n oer iawn ar y beic ar y ffordd 'nôl er ei bod hi'n noson braf. Roeddwn i'n teimlo 'nghoesau'n llosgi i gyd pan arhoson ni wrth focs ffôn. Dad atebodd a theimlais yn euog ar unwaith gan nad oeddwn wedi sylweddoli ei bod hi mor hwyr.

'Sara! Ble yn y byd wyt ti? Ma' dy fam yn becso nes 'i bod hi'n dost!'

'O'dd hi'n gwbod bo' fi'n mynd mas 'da Liz,' meddwn i, wrth gofio amdani'n gwrando ar ein sgwrs ffôn ni'r noson gynt.

'Wel, wyt ti wedi addo neud rhyw ffrog iddi ne' rwbeth. Pryd ti'n dod gatre?'

Roedd hi'n amlwg ei fod e'n cael amser caled.

''Na pam wy'n ffôno. Ma' rhywun wedi gofyn i fi fynd mas i swper. Gwedwch wrth Mam am beido becso. Fe 'na' i'r ffrog nos fory. A sdim isie iddi neud ffŷs am y peth achos fydd hi'n barod erbyn y consert.'

'Falle bo' ti'n iawn,' meddai a chwerthin yn ysgafn.

'Wrth gwrs bo' fi. Rhowch 'ych trwyn mewn llyfyr a pheidiwch cymryd dim sylw ohoni.'

Roedden ni'n dau'n deall ein gilydd yn well ar y ffôn na phan fydden ni wyneb yn wyneb. Falle'i bod hi'n haws trafod pethau heb Mam hefyd.

'Iawn 'te. Wela i di nes 'mla'n. Diolch am ffôno.'

Ac fe roddodd e'r ffôn i lawr.

Eistedd ar y beic y tu fas i'r bocs ffôn oedd Tom. Codais 'y mawd yn fuddugoliaethus arno.

'Dim problem. Dad o'dd 'na, a o'dd e'n iawn.'

Meddyliais yn sydyn am dad Tom.

'Wyt ti'n goffod rhoi gwbod le wyt ti'n mynd?'

'Na. Fe adawes i nodyn ar y ford yn gweud bo' fi 'di mynd i whilo am job. Allith e ddim cwyno am hynny. Wel, fe allith e, ond sdim raid i fi gymryd sylw.'

Dringais ar y beic a difaru unwaith eto 'mod i wedi gwisgo'r sgert fach ffrils. Roedd hi'n chwythu yn y gwynt nes bod 'y nghoesau'n noeth reit i'r top, ac rown i'n anghyffyrddus o oer. Ond diolch byth, roedd y lle Chinese ar ben draw'r stryd.

Pan es i i mewn i'r gegin fe ddaeth Dad i gwrdd â fi, gan daflu golwg fach slei dros ei ysgwydd.

'Bach o drwbwl ar y gorwel, ma' arna i ofan,' meddai. 'Fe ffônodd Liz i ofyn a o't ti gatre.'

'O'r nefoedd,' meddwn i a rhwbio 'mreichiau i drio'u cynhesu nhw.

'Motor beic?' gofynnodd Dad, ac fe wenais i. Wedyn, fe ddaeth Mam i mewn. Fe blethodd ei breichiau a phwyso yn erbyn y drws.

'Wel,' meddai. 'Ti'n gweud celwydde 'te. Pam?'

'Wedes i ddim byd pendant wrthoch chi.'

Dechreuodd Dad lenwi'r tegell.

'Fe roiest ti'r argraff i fi bo' ti'n mynd mas gyda Liz,' meddai hi. 'Ond est ti ddim.'

'Drychwch, sdim raid i rywun un deg saith oed ofyn am ganiatâd bob tro ma' hi'n mynd mas o'r tŷ! Dim merch fach odw i nawr. Ma' 'da fi 'mywyd 'yn hunan!'

''Y merch fach i fyddi di am byth,' meddai, a thrio cuddio'r dagrau oedd yn cronni yn ei llygaid. 'Wy'n becso amdanat ti. Wedi bod mas 'da rhyw fachgen wyt ti, wy'n gwbod yn iawn. Ond wyt ti'n ca'l gafel mewn shwt fechgyn od. Fel y Siôn beth bynnag o'dd 'i enw fe.'

'Blainey,' meddwn i. 'Ond pam bo' raid i chi bigo arno fe? Allen i enwi lot o rai erill.'

Am ryw reswm roedd arna' i isie iddi gael sioc. Doedd dim raid iddi wybod taw Tom oedd y bachgen cyntaf i fi fod ag unrhyw feddwl ohono fe.

'Sdim isie i ti esgus bo' ti'n wa'th nag wyt ti!' gwaeddodd.

'Pam lai?' gofynnais. 'Wy'n enjoio 'bach o fochyndra!'

Yn sydyn, dechreuodd Dad chwerthin. Trodd Mam arno fe'n siarp.

'John! Jyst fel ti i neud jôc o'r peth! A thrio neud i fi deimlo'n fach! Ti wastad yn llwyddo i ga'l Sara ar d'ochor di fel bo' chi'ch dou'n gallu wherthin tu ôl i 'nghefen i. Olreit, adawa i chi. Pan ddigwyddith rhwbeth ofnadw fyddwch chi'n gwbod ar bwy fydd y bai!'

Ac fe fartsiodd mas.

Cododd Dad ei ysgwyddau a'i freichiau mewn un ochenaid fawr, cyn taflu dau fag te i'r tebot a'i lenwi â dŵr berwedig.

'A' i â dishgled iddi,' meddai a chydio mewn cwpan a soser. 'Licet ti un?'

'Dim diolch,' atebais, 'wy newydd ga'l llond bola o gwrw.'

Chwarddodd yn uchel ac arllwys y te. Wrth iddo fe fynd at y drws fe drodd a sibrwd yn gyfrinachol,

'O'dd motor beic 'da fi unweth. Cyn i fi gwrdd â dy fam.'

A mas ag e.

6

Cwrddais â Tom yn ystod f'awr ginio dydd Iau a dydd Gwener, a chyrraedd 'nôl i'r siop yn hwyr y ddau dro. Byddai'n dod i gwrdd â fi ar ddiwedd pob prynhawn ac fe fydden ni'n mynd i gaffi Ron. Erbyn hyn roedd Ron wedi dod i'n nabod ni'n dda ac fe fyddai'n gweiddi, 'Shw' ma'i! Dou goffi a dou fisged ife?' Rown i wrth 'y modd ei fod e'n ein nabod ni. Teimlwn yn llawn hyder i gyd.

Roedd y tywydd wedi oeri erbyn dydd Sadwrn, ac fe wisgais i jîns i'r siop gan fod Tom a fi wedi trefnu i fynd ar y beic gyda'r nos. Allai Mrs Morris ddim credu'i llygaid.

'Miss Bowen,' meddai, 'dyw'r dillad 'na ddim yn addas i rywun sy'n gweithio mewn siop. Ewch gatre amser cinio a newid i rwbeth arall.'

'Alla i ddim.'

'Pam?'

'Ma' Mam wedi mynd mas, a sdim allwedd 'da fi.'

Rown i'n gobeithio 'mod i'n edrych yn ddiniwed rhag iddi sylweddoli 'mod i'n dweud celwydd.

'O wel,' meddai, yn fyr ei hamynedd, 'fydda i'n disgw'l y byddwch chi wedi gwisgo'n fwy teidi ddydd Llun.'

Roedd Mr Biggs wedi dweud ei bregeth fach wrth 'y nhalu i brynhawn dydd Gwener.

'Y . . . Sali, gobeitho bo' chi ddim yn ca'l 'ych arwen ar gyfeiliorn.'

'Ar gyfeiliorn, Mr Biggs?'

'Ie. Dod 'nôl yn hwyr ar ôl cino a phethe. Wy'n sylweddoli bo' 'na ambell i—ym—demtasiwn y dyddie hyn. A ma'n rhaid i fi weud bo' hynny'n peri tipyn o syndod i fi.'

Edrychodd arna i'n llym.

'Ma'n gas 'da fi offod gweud hyn, Sali, ond ma'n rhaid i chi gofio bo' 'na ddigonedd o ferched fydde wrth 'u bodd yn ca'l 'ych job chi. Allen i ga'l rhywun yn 'ych lle chi'n hawdd.'

Fe ges i sioc pan ddwedodd e hynny.

'Wy'n gwbod. A wy *yn* sori, Mr Biggs, wir. Fydd raid i fi watsio'r amser o hyn 'mla'n.'

Allwn i ddim diodde'r syniad o golli'r job. Fe wenodd e rhyw wên fach sych a dweud, 'Iawn 'te.'

Ar y dydd Sadwrn fe wnes i'n hollol siŵr 'mod i'n ôl ar y dot, yn enwedig gan 'mod i wedi cynhyrfu'r dyfroedd yn barod wrth wisgo jîns.

Cyrhaeddodd Tom y siop am hanner awr wedi pump. Roedd ei weld e'n dal i wneud i fi deimlo'n wan. Fe aethon ni i gael coffi yng nghaffi Ron ac fe ddwedodd Tom fod arno fe isie mynd i Abertawe i chwilio am ryw bart i fotor beic roedd e'n ei ailadeiladu mewn garej yn agos i le'r oedd e'n byw.

'Ma' hi'n anodd neud pethe fel 'na pan ti'n byw mewn fflat,' eglurodd.

Gwelwn ei bwynt e, er nad oeddwn i wedi meddwl am y peth o'r blaen.

Caffi enfawr y drws nesaf i garej oedd y lle 'ma yn Abertawe. Y tu fas i'r caffi roedd 'na ddwsinau o fotor beics o bob lliw a llun, a'u perchnogion tu mewn yn fôr o gotiau lledr a styds a helmets lliwgar. Roedd ambell helmet wedi'i pheintio â phatrymau Orientaidd ffyrnig. Siaradai'r merched yn uchel, gan roi fflic bob hyn a hyn i'r llwch sigarét. Jîns a sgidiau uchel oedd am y rhan fwyaf, a blowsen fach gwta wedi'i thorri'n isel. Tynnais fy helmet, ac roedd hi'n amlwg fod fy ngwallt pinc yn gwneud tipyn o argraff. Gofynnodd un neu ddwy o ble oedden ni'n dod a sut feic oedd 'da ni. 'Superdream,' atebais, fel taswn i'n awdurdod ar feiciau. Cwrddodd Tom â'i ffrind ac fe fuon nhw'n trafod perfeddion beiciau'n fanwl am amser hir.

'Licet ti ishte?' holodd un o'r merched, a thynnu'i thraed o'r sêt yn ei hymyl. Llithrais i'm lle'n ddiolchgar, wrth 'y modd 'mod i wedi cael 'y nerbyn.

'Ti'n olreit?' holodd Tom wrth ddod â choffi i fi. 'Sori am y siarad siop, ond fydda i ddim yn hir nawr.'

Ar ôl iddo fe fynd trodd un o'r merched ata i a dweud, 'Jawch, ma' fe'n bishyn!' Roeddwn i'n falch tu hwnt, ond y cwbl ddwedais i oedd, 'Cadw bant!'

Rown i'n mwynhau esgus bod fel y merched hyn. Mae'n siŵr 'mod i'n credu am gyfnod 'mod i'n un ohonyn nhw. Roedd reidio motor beic yn gwneud i chi deimlo fel 'na. Allech chi dyngu taw creadur byw oedd beic, yn eich deall chi i'r dim. Roedd Tom wedi cynnig rhoi gwersi i fi, dim ond i fi gael trwydded. Roedd y syniad yn apelio ata i ac yn 'y nychryn i yr un pryd. Cenfigennwn wrth y merched yn y caffi oedd yn berchen ar eu beiciau'u hunain. Er bod rhai o'r bechgyn yn eu pryfocio nhw, doedden nhw'n poeni dim.

Fe arhoson ni yn y caffi am oriau a chael wy a chips cyn cychwyn 'nôl.

'Licet ti fynd rownd y dre unwaith?' holodd Tom dros ei ysgwydd, a chytunais ar unwaith.

Roedd Abertawe'n lle hollol wahanol o gefn beic. Doeddwn i ddim wedi sylweddoli o'r blaen gymaint o rwystr yw to car. Pan fyddwch chi ar gefn beic fe allwch chi weld reit rownd, a thaflu'ch pen 'nôl a gweld reit i dop yr adeiladau. Disgleiriai'r lleuad dros y toi. Yr un lleuad oedd yn disgleirio ar y cae lle buon ni'n gorwedd ddydd Mercher, y cae lle'r oedd y borfa wedi'i wasgu i lawr yn fflat.

O'r diwedd fe gyrhaeddon ni'r tŷ, ac fe ddes i oddi ar y beic. Diffoddodd Tom yr enjin a chodi'r beic ar ei stand.

'Wela i di fory?' holodd.

'Ma' Liz siŵr o alw heibio,' atebais. 'Ma' hi'n arfer neud ar ddydd Sul. Ond yn y bore fydd hynny.'

'Os sponer 'da hi?'

Eglurais ei bod hi'n gweld Gary ond nad own i ddim yn siŵr a oedd e'n sponer iddi neu beidio.

''Run peth â ni 'te,' meddai Tom. Cynigiodd ein bod ni'n mynd mas yn bedwarawd gyda Liz a Gary. Byddai'n fy nghodi am hanner awr wedi saith.

Drwy gil fy llygaid gwelais gyrten y stafell fyw yn symud. Mam oedd yn pipo arnon ni. Teimlwn yn anghysurus reit, ac er 'mod i jyst â marw isie i Tom fy nghusanu, rown i'n casáu'r syniad o sefyll fan'ny ar y pafin a Mam yn watsio pob symudiad.

Rhoddodd Tom ei freichiau amdana i a gofyn, 'Be' sy'n bod? Ti fel pishyn o bren.' Eglurais am Mam, a dyma fe'n codi dau fys at y ffenest.

'O'r nefoedd fowr,' meddwn i'n hanner crac ac yn hanner chwerthin, 'gobeitho na welodd hi hynna!'

'Gobeitho'i bod hi,' meddai. 'Alla i ddim â diodde'r siort 'na o beth.'

A heb hyd yn oed edrych arna i fe ddringodd e ar y beic a diflannu i'r nos.

Es i mewn i'r tŷ a lan i'n stafell yn syth. Pam soniais i wrtho fe am Mam? Pam nad oedd arno fe isie i ni fynd i rywle ar ein pennau'n hunain fory? Pam ddwedodd e, ''Run peth â ni 'te''?

Rown i'n sefyll yng nghanol y stafell yn trio bod yn

synhwyrol. Doedd dim pwrpas teimlo i'r byw ynglŷn â'r pethau 'ma, ac yntau wedi pwysleisio o'r dechrau nad oedd e'n awyddus i bethau fynd dros ben llestri. Ond wrth syllu rownd y stafell gwelwn am y tro cyntaf mor ddibwys oedd yr holl bethau rown i wedi'u crynhoi er pan oeddwn i'n blentyn. Roedd 'na beryg bod pethau wedi mynd dros ben llestri'n barod.

Weindiais y gramoffôn a rhoi 'O na byddai'n haf o hyd' arno fe. Wedyn gorweddais ar y gwely a dechrau llefen. Rown i'n ffarwelio â phopeth cyfarwydd, popeth oedd yn ymwneud â 'mhlentyndod. Ond beth oedd o 'mlaen i heblaw'r broses boenus o ddysgu bod yn galed a di-hid? Meddyliais am y crychau ar wyneb Mam, ac am ei breichiau meddal hi. Meddyliais am amynedd sur Dad a theimlais ias yn mynd drwydda i. Ai dyna oedd o 'mlaen i hefyd? Dim syndod, dim dicter, dim sbort, dim byd. Wrth i'r llais marw ganu, doeddwn i ddim yn siŵr ai torri 'nghalon dros dristwch y funud oeddwn i ai poeni am yr hyn oedd o 'mlaen i ar ôl iddo fe ddod i ben.

'Ti isie dishgled o de?'

Mam oedd yn cnocio'r drws ac yn gweiddi.

'Dim diolch,' atebais, ond fe gnociodd hi eto a gweiddi, 'Sara! Ti isie te?'

Mae'n siŵr nad oedd hi wedi 'nghlywed i dros sŵn y record. Ond daeth honno i ben yn sydyn a chodais a'i thynnu oddi ar y gramoffôn.

'Fydda i lawr nawr,' gwaeddais i gyfeiriad y drws. O leiaf doedd hi ddim yn swnio'n grac iawn. Falle nad oedd hi wedi gweld Tom yn codi dau fys. Ac rown i'n gwerthfawrogi'r arwydd bach o gysur y byddai cael te gyda'm rhieni yn ei gynnig.

Golchais fy wyneb a rhoi mascara ar fy llygaid cyn mentro i lawr. Ond pan gerddais i mewn i'r stafell fyw gallwn ddweud wrth y wên garedig oedd ar wynebau Dad a Mam eu bod nhw'n gwybod yn iawn 'mod i wedi bod yn llefen. Soniodd neb am Tom. Roedd Mam yn dal i fod yn falch 'mod i wedi gwneud ei ffrog iddi nos Iau. Dechreuodd holi sut ddillad y dylai hi brynu ar gyfer yr hydref. Rown i'n sylweddoli'n iawn taw trio'i gorau i fod yn neis wrth ei merch afradlon oedd hi. Ond o leiaf roedd hynny'n well na dadlau.

Roedd Liz wedi cael torri'i gwallt. Pan gyrhaeddodd hi drannoeth roedd e'n fyr, â rhyw ddarnau bach yn hongian o flaen ei chlustiau. Edrychai'n debyg i gamel fel rown i wedi'i rhybuddio hi—ond allwn i ddim mentro dweud hynny.

Safodd o flaen y drych yn troi'r gwallt rhwng ei bys a'i bawd.

'O'n i wedi gobeitho ca'l *kiss-curls*, fel rhai Liza Minnelli yn *Cabaret*.'

'Gwallt du, strêt, sy 'da hi,' meddwn i. 'Gwallt cyrls, coch sy 'da ti. Allet ti drio ca'l gwared o'r cyrls, wrth gwrs.'

'Sdim amynedd 'da fi,' meddai, a mynd i orwedd ar y gwely. 'Shwt wyt ti, ta beth? Beth ti 'di bod yn neud drw'r wthnos? A shwt ma'r boi 'na?'

'Grêt. Lice fe bo' ni i gyd yn mynd mas 'da'n gilydd heno. Ti a Gary a fe a fi.'

'Fydde hynny'n eitha neis.' Edrychodd arna i'n feddylgar. 'Ti'n siŵr 'i fod e'n grêt?'

'Hollol siŵr.'

Fe es i draw at y ffenest ac edrych mas.

'Ond . . . licen i tase fe'n fwy pendant.'

'Ma'n rhaid i ti roi fwy amser iddo fe. Ma' dynion yn casáu ca'l 'u hastu. Beth sy wedi dod drostot ti ta beth? Ble ma'r ffeminist fowr 'di mynd? Yr un oedd yn beio menywod am dowlu popeth bant er mwyn rhyw ddyn?'

'Wy'n dala i gredu hynny. Wy ddim 'di newid dim.'

'Ti'n jocan!'

'Wir. Ma' mynd i'r coleg a mynd rownd y byd yn dala'n bwysig i fi. Ond dyw hynny ddim yn 'yn stopo i rhag ca'l perthynas â bechgyn ody fe?'

Roedd Liz yn byseddu drwy'r papurau oedd ar y ford fach wrth y gwely.

'Sdim lot o ffasiyne yn y llunie 'ma o's e?'

Y lluniau rown i wedi trio'u gwneud o wyneb Tom oedden nhw.

'Scribls ŷn nhw, 'na i gyd,' meddwn i'n fyr f'amynedd. Eisteddais ar waelod y gwely ac fe syllon ni ar ein gilydd.

'O Liz, ma'r haf 'ma'n od ofnadw. Ma' pethe'n newid rownd i ni i gyd. Ma' popeth yn newid . . .'

'Ti'n iawn. Ac ar y blincin dynion 'ma ma'r bai. Ma'n nhw'n niwsans. Meddwl di am Gary nawr. Ma' fe'n olreit —wy'n lico bod 'da fe, a ma' car 'da fe a digon o arian. Ond ma' fe'n mynd i droi rownd a gweud 'i fod e isie 'mhriodi i ne' rwbeth. A allen i'm neud hynny. Fe reden i filltir!'

'Ti'n siŵr?' gofynnais, a difaru ar unwaith. Edrychodd Liz yn od reit arna i.

'Wy ddim yn dy ddeall di,' meddai. 'Alli di ga'l sponer os ti isie. Alli di ga'l rhyw 'dag e. Ond sdim isie i ti roi dy fywyd i gyd iddo fe!'

''Na'n gwmws beth wy 'di weud erio'd. Ond ma' Tom fel tase fe'n rhan ohona i. Fydde bod hebddo fe fel bod heb goes. Ma' fe ar 'yn meddwl i o hyd—y pethe ma' fe'n weud, 'i lyged e, 'i wên e . . .'

'Ma' problem 'da ti on'd o's e? Cofia, o'n i'n teimlo'r un peth am Tony Green.'

'Beth? Shwt o't ti'n 'i nabod e 'te?'

Roedd Tony Green yn y chweched pan oedd Liz a finnau yn y bedwaredd flwyddyn cyn i ni ddod i nabod ein gilydd yn dda.

'O'n i'n gweitho bob dydd Sadwrn mewn siop fara. Wedes i gelwydd wrthyn nhw bo' fi'n un ar bymtheg, a fe gredon nhw fi. O'dd e a'i fêts yn dod i brynu *doughnuts*, lot o *ddoughnuts*. Wel fe ofynnodd e i fi fynd mas 'dag e, a fe es i. O'n i'n credu bo'r haul yn sheino o'i ben-ôl e. Fydda i ddim yn teimlo fel 'na am neb arall byth 'to.'

'Liz! Wedest ti ddim! Beth ddigwyddodd?'

'A'th e bant i'r coleg. Chlywes i'm gair wedyn.'

'Pam na fyddet ti 'di sôn?'

'Ma' rhai pethe'n neud gormod o ddolur. Alli di ddim gweud wrth neb oni bai bo' ti'n siŵr y byddan nhw'n deall.'

Rown i'n deall yn iawn, am 'mod i'n teimlo'r un peth ynglŷn â Tom.

'Ti'n siŵr na alli di deimlo fel 'na am neb arall?' holais.

'Odw, berffeth siŵr. Fydden i'n fwy gofalus.'

Yr un hen stori. Bod yn ofalus, gwneud y gorau o'r sefyllfa. Oedd 'na rywun arall wedi teimlo fel rown i'n teimlo? Go brin.

'Falle bo' fi'n ddwl ond sdim alla i neud. Os dria i fod yn gall neu'n ofalus, wy'n teimlo bo' fi'n lladd rhwbeth. Yn 'yn lladd 'yn hunan. Ma' fe'n annioddefol.'

'Ti'n deall nawr pam bo' rhai menywod yn fo'lon diodde?' meddai Liz.

'Falle bo' rhesyme gwahanol 'da nhw. Falle bod ambell un yn ddiflas ac yn meddwl y bydde dyn yn gwella pethe. Falle bod ambell un jyst yn ffansïo rhyw ddyn a dim mwy. Dim stori yn rhyw *fagazine* yw'r ffordd wy'n teimlo am Tom.'

'Ti'n iawn,' meddai Liz. 'Stori Romeo a Juliet yw hi ontefe.'

Edrychodd arna i, yn gwbwl ddifrifol.

'Ond,' ychwanegodd, 'ma' pawb yn teimlo'r un peth.'

Pawb. Pob un person.

'O Liz, beth odw i'n mynd i neud?'

''I ddiodde fe fel tase fe'n salwch,' atebodd. 'Ti'n siŵr o ddod drwyddi.'

'Licen i tase fe heb ddechre o gwbwl,' meddwn i'n ddiflas.

'Wel,' meddai Liz yn athronyddol, 'ŷn ni wedi gweud bo' profiad yn bwysig.'

Ond doedd pethau ddim mor hawdd â hynny nawr. A doeddwn i ddim yn gallu gwenu.

Y noson honno aeth Tom a finnau i dŷ Liz. Tŷ teras o oes Fictoria oedd e.

'Lot gwell na hen fflatie,' meddai Tom. 'Pam bo' nhw'n 'u bwrw nhw lawr? Ma' 'na ddigon o le i barco'r beic yn y ffrynt, a digon o le yn y cefen i ga'l gardd a shed fach. Licen i ga'l gardd fach. Allen i gadw cwningod a phethe. O'dd cwningod 'da Dad cyn i ni symud i'r hen fflat 'na.'

Roedd car Gary tu fas i'r tŷ. Roedd hi'n ddigon hawdd gweld taw ei gar e oedd e gan fod 'GARY' a 'LIZ' mewn llythrennau bras ar draws y ffenest flaen.

Eistedd ar lin Gary o flaen y teledu oedd Liz.

'Chi moyn dishgled o de?' holodd ei mam.

'Dim diolch Mam. Ŷn ni'n mynd mas nawr,' atebodd Liz.

'Wel, off â chi 'te.' Taniodd ei mam sigarét. Wedyn gafaelodd mewn bord smwddio a'i gosod o flaen y set deledu. '*Music while you work*! Sdim lot arno fe ar ddydd Sul, ond ma' fe'n well na dim.'

Cododd Liz ar ei thraed.

'Well i ni fynd o 'ma cyn i ni foddi mewn casys gobennydd.'

'Ie, cerwch, i fi ga'l tipyn bach o lonydd.' Cwympodd llwch o'r sigarét ar y ford smwddio, ac fe sychodd hi fe i ffwrdd yn ysgafn cyn gafael mewn blows wen o fasged blastig las a oedd ar y llawr yn ei hymyl.

'Hwyl, Mrs Lewis,' meddwn i'n ddigon poleit.

'Ta ra cariad,' atebodd, heb dynnu'i llygaid oddi ar y bocs.

'Man a man i ni fynd yn y car,' meddai Gary. Bachgen main oedd e â gwallt brown, byr a chlustiau oedd yn stico mas.

Roedd hi'n od peidio mynd ar y beic ac fe ges i bang fach o hiraeth wrth i Tom a finnau eistedd yn sedd gefn y car a rhoi'n helmets ar y shilff y tu ôl i ni. Pan gychwynnodd Gary'r enjin fe ddaeth y radio 'mlaen yn uchel ac fe deithion ni drwy'r strydoedd heulog i sŵn canu pop byddarol.

'Ble ewn ni?' gwaeddodd Gary dros ei ysgwydd.

'Castellnewydd Emlyn,' atebodd Liz yn syth. 'Y lle 'na sy'n neud bwyd neis.'

Syllu'n dawel drwy'r ffenest oedd Tom. Gafaelodd yn fy llaw a dechrau rhwbio'i fysedd drosti'n ysgafn.

'O's arian 'da ti?' gofynnodd yn dawel.

‘O’s.’ Doedd Liz a Gary ddim yn gallu’n clywed ni gan fod y radio mor uchel.

‘O’n i ddim ’di meddwl mynd i rywle drud. Allet ti roi menthyg pumpunt i fi?’

Agorais ’y mhwrs a rhoi dau bapur pumpunt iddo fe. Cododd ei aeliau mewn syndod ond cyn iddo fe ddweud dim fe rois i’n llaw dros ei law e a dweud, ‘Ma’ hi’n iawn.’ Fe stwffiodd yr arian i boced ei jîns a rhoi’i fraich amdana i. Rown i’n falch erbyn hyn nad oedden ni ar y beic. Yr unig beth oedd yn bwysig oedd ’mod i gyda fe. Doeddwn i ddim hyd yn oed yn poeni am yr arian rown i i fod yn ei gynilo i fynd bant gyda Liz. Rown i’n dal i fod isie mynd ond roedd ’na ddigon o amser. Doeddwn i ddim yn edrych ’mlaen at adael Tom, felly roedd hi’n haws peidio â meddwl gormod am y peth.

Pan gyrhaeddon ni Gastellnewydd Emlyn fe aethon ni am dro ar hyd yr afon ac fe ddechreuodd Gary a Tom daflu cerrig i’r dŵr. Wedyn fe afaelodd Tom mewn brigyn coeden a’i dynnu’i hunan lan a dringo’n uwch wedyn. Triodd Gary ddringo hefyd ond câi dipyn o drafferth yn ei sgidiau smart. Dechreuodd Tom ddynwared sŵn mwnci a thaflu dail i lawr arnon ni.

‘Ody fe wastad fel hyn?’ holodd Liz.

‘Na, ma’ fe wedi bihafio’n eitha da’n ddiweddar, ar wahân i ambell i froga tegan.’

Yn sydyn, cofiais am y tro cyntaf i fi’i weld e, pan greodd e’r hafoc yn y siop. Oddi ar hynny roedd e wedi bod yn hynod o boleit. A finnau hefyd wrth gwrs. A dweud y gwir roedd Liz a finnau wedi cael tipyn mwy o sbort wrth wneud pethau dwl fel trio wigs ’mlaen mewn rhyw siop yn Abertawe a dynwared pobol posh.

Dechreuais feddwl bod Tom wedi blino ar ein cwmni ni. Ond wrth edrych arno fe yn y goeden, yn gwneud hen sŵn dwl ac yn taflu pethau aton ni fe ddechreuais i deimlo'n grac. Fan'ny own i, mewn sgidiau sodlau uchel a ffrog gotwm wen yn teimlo'n hollol ddwl.

'Tom!' gwaeddais, 'Paid â bod yn ddwl. Dere lawr.'

Safai Liz a Gary i lawr wrth yr afon yn syllu i'r dŵr a'u breichiau am ei gilydd.

'Tom!' gwaeddais eto. '*Plîs* dere lawr!'

'Gewch chi 'nghodi i ar 'ych ffordd nôl,' meddai. 'Ma' hi'n neis lan fan hyn.'

Ac fe ddechreuodd gosi dan ei geseiliau fel mwnci.

Yn sydyn fe es i'n gynddeiriog. Cydiais mewn clamp o garreg a'i thaflu hi ato fe—a rhoi fy llaw dros 'y ngheg mewn braw. Roedd y garreg wedi'i fwrw yn ei dalcen. Llithrodd i lawr y goeden a sefyll o 'mlaen i. Roedd gwaed yn llifo i lawr ei wyneb.

'Diolch yn fowr,' meddai fel carreg o galed.

'O Tom, do'n i ddim yn trio. Plîs paid â bod yn grac.'

Rhwbiodd ei wyneb a syllu ar y gwaed ar ei law. Doedd 'da Liz a Gary ddim syniad beth oedd wedi digwydd.

'Tom bach!' meddai Liz, a thwrio am hancesi papur yn ei bag. 'Alla i ddim mynd â ti i unman!'

'Pwy sy'n gofyn i ti?' atebodd Tom fel bollt. Tynnodd y ddau bapur pumpunt o'i boced a'u taflu nhw ata i.

'Cadw dy arian!' Dechreuodd gerdded 'nôl ar hyd y llwybr, heb wneud unrhyw ymdrech i sychu'r gwaed oddi ar ei wyneb.

'Arhoswch chi fan hyn,' meddai Gary. 'Fe dria i siarad ag e.'

'Cymer rhain,' meddai Liz, a stwffio'r Kleenex i'w law e, ac fe redodd e ar ôl Tom. Rown i'n teimlo'n dost.

'Beth yn y byd ddigwyddodd?' holodd Liz.

Gwenodd pan ddeallodd hi. 'Da iawn ti. Paid ti â dechre gadel iddo fe ddamshgel drostot ti. Dim un fel 'ny wyt ti ife?'

'Nage, ma'n amlwg,' atebais i'n wan reit. 'Ond 'na ti beth ofnadw 'nes i ontefe!'

Ond fe ddechreuais chwerthin.

'Beth o'dd yr holl fusnes 'na am arian?' holodd Liz.

Pan eglurais nad oedd Tom wedi bwriadu mynd i rywle drud fe fwrodd hi'i thalcen â'i dwrn.

'Ti'n idiot, Liz Lewis!' meddai. 'Druan bach, fe a'th e i banic pan gyniges i fynd i'r hen le posh 'na. O'dd e'n credu taw mynd am bryd iawn o'n ni. *Snack* fach yn y bar o'dd 'da fi mewn golwg. Ma' bwyd yn y *restaurant* yn costi ffortiwn!'

'Sdim syniad 'da fi beth o'dd e'n feddwl,' meddwn i.

'O ie, 'na beth o'dd yn 'i fecso fe. O'dd e'n credu bo' fe'n mynd i offod hala lot fowr o arian mewn lle drud er na alle fe ffwrdo neud, ac er nad o'dd e wedi gwisgo'n iawn. Sdim rhyfedd bo' fe 'di mynd i gwato i'r goeden 'na. Y twpsyn! Pam 'se fe 'di gweud rhwbeth?'

'Fyddet *ti* 'di gweud? Fyddet *ti* 'di achwyn wrth bobol o't ti newydd gwrdd â nhw bo' 'da ti ddim job a dim arian?'

'Na fydden.'

Fe fuon ni'n dawel am rai eiliadau. Roedd Tom a Gary wedi diflannu.

'Ond fe roiest ti fenthyg arian iddo fe,' meddai Liz yn sydyn. 'Do'dd dim isie iddo fe fod yn gymint o hen ddiawl.'

Rown i'n cytuno'n llwyr.

Fe arhoson ni yno am dipyn o amser. O'r diwedd daeth Gary a Tom 'nôl gyda'i gilydd. Roedd wyneb Tom yn lân ac roedd 'na blaster ar ei dalcen. Rhedodd ei law drwy 'ngwallt i, a dweud, 'Sori.' Ond doedd e ddim yn gwenu.

'Iawn,' meddwn i, a gafael yn ei law. 'Wir, do'n i ddim yn trio dy fwrw di. O'n i fel tasen i'n trio ca'l deryn bach mas o'r goeden 'na.'

''Na pam bo' menywod mor wael am whare cricet,' meddai Gary'n ysgafn.

'Paid â siarad dwli!' meddai Liz. 'Ma' gwell pethe 'da ni i neud â'n hamser, 'na i gyd. Ble gest ti'r plaster 'na 'te?'

'Ma' digonedd 'da Gary yn 'i gar,' meddai Tom. 'Fe nele fe Boy Scout bach da. A fe olches i'n wyneb yn y Gents.'

'Reit 'te,' meddai Liz. 'Beth am ddrinc fach?'

Ni'n dwy oedd yn arwain, a'r bechgyn yn dilyn. Roedden nhw fel tasen nhw'n dod 'mlaen yn dda â'i gilydd, yn sgwrsio ac yn chwerthin y tu ôl i ni. Rown i'n falch ynglŷn â hynny, ond roeddwn i'n poeni'n dawel fach na fyddai Tom byth yn maddau i fi am beth wnes i. Pan gyfaddefais i hynny wrth Liz wfftio wnaeth hi.

'Wel Sali fach, os taw un fel 'na yw e, fyddet ti'n well hebddo fe. Diwedd y byd ne' beido, fyddet ti byw.'

Rown i'n sylweddoli'i bod hi'n siarad o brofiad. Ond doedd hynny ddim yn gwneud yr hyn ddwedodd hi'n haws ei ddioddef.

Doedd gweddill y noson ddim yn ddrwg, ar wahân i'r ffaith fod Tom a Gary'n trafod beics o hyd. Doeddwn i ddim yn cofio taw gweithio mewn garej oedd Gary, a doeddwn i ddim wedi sylweddoli'r adeg honno gymaint o ffanatic am enjins oedd Tom. Roedd Liz a finnau'n falch pan ddaeth amser cau.

Yn y car fe eisteddais reit yng nghornel y sedd gefn, mor

bell ag y gallwn i oddi wrth Tom gan nad own i'n siŵr a oedd e wedi maddau i fi am beth wnes i. Roedd y radio'n fyddarol ac roedd Liz a Gary'n canu. Yn sydyn fe dynnodd Tom fi ato fe.

'Paid â bod fel 'na,' meddai. 'Wedes i bo' fi'n sori. Beth ti isie i fi neud?'

Penliniodd ar lawr y car a dechrau cusanu 'nhraed i.

'Plîs Miss, peidiwch â bod yn gas wrtha i. Peidwch â'n hala i mas o'r dosbarth!'

Fe ddechreuais i chwerthin a throdd Liz ei phen i weld beth oedd yn digwydd.

'Hei, beth ŷch chi'ch dou'n neud? Ble ma' Tom? Dyw e ddim 'di cwmpo mas o'r car 'ma ody fe?'

'Fe jwmpa i mas os na fydd hon yn neis wrtha i!' meddai, ac agor y drws a hongian mas. Gafaelais yn ei jîns e.

''Na ddigon!' gwaeddodd Gary, ac fe gaeodd Tom y drws ac eistedd yn dawel wrth f'ochr i.

'Licet ti glywed 'bach o news?' holodd ymhen tipyn. 'Ma' bos Gary'n whilo am fecanic. A' i 'na fory i weld alla i ga'l y job. Ma' Gary'n fo'lon gweud gair bach drosto i.'

'Ma' hynna'n grêt!' Ond, fel ffŵl, fe ychwanegais, 'Ond wela i mo'not ti amser cino.'

'Paid â siarad dwli,' meddai. 'Ma' mecanics yn goffod byta! Fe dria i ddod i dy weld di bob dydd.'

'Gwd.'

Fe edrychodd e arna i'n od.

'Ti'n 'yn lico i, Fflos?' gofynnodd o'r diwedd.

'O odw,' atebais. 'O odw, *wir*.'

Fflachiai'r goleuadau ar draws ei wyneb wrth i ni syllu ar ein gilydd. Edrychais draw, rhag ofn y byddai'n dweud wrtha i am beidio â bod mor ddwl. Am beidio â mynd dros ben llestri. Ond beth ddwedodd e oedd, 'Wy'n dy lico di hefyd, Fflos.'

Doedd e ddim wedi dweud hynny o'r blaen. Fe deimlais i wefr o hapusrwydd pur.

7

Arhosodd Tom ddim tan amser cinio trannoeth cyn dod i 'ngweld. Camodd yn hyderus i'r siop am wyth munud ar hugain wedi un ar ddeg—roeddwn i wedi bod yn cadw llygad ar y cloc fel arfer.

'Ges i'r job,' meddai, yn wên o glust i glust.

Gwisgai bâr o sgidiau uchel lledr du, â byclau arnyn nhw oedd yn gwneud sŵn wrth iddo fe gerdded.

'Grêt! Pryd ti'n dechre?'

'Bore fory. Ti'n lico 'mŵts i? Rhyw foi werthodd nhw i fi bore 'ma. Sdim raid i fi dalu tan dydd Gwener. Dim ond decpunt cofia!'

'Roia i arian i ti nawr,' meddwn i ar unwaith. 'Alli di dalu fe'n ôl yn strêt wedyn.'

'Grêt, os alli di. Ges i fenthyg peth 'da Gary neithwr ond . . .'

Gwelodd Mrs Morris fi'n tynnu'r ddecpunt o 'mhwrs yn y gegin fach.

'Miss Bowen,' meddai, 'sawl gwaith ma'n rhaid i fi ofyn i chi beidio â dod â'ch ffrindie i'r siop 'ma? Ma' 'na safone i'w cadw, a dyw gweld bechgyn fel yr un sy 'ma ar hyn o bryd ddim yn rhoi enw da o gwbwl i'r lle. Fydde ambell gwsmer yn meddwl ddwywaith cyn dod mewn i'r siop . . .'

'Stwffwch 'ych siop,' atebais, a gwenu. Trodd ar ei sawdl a mynd mas. Rhois fy mag 'nôl yn y cwpwrdd a mynd mas at Tom. Wrth roi'r arian yn ei law fe gusanais e'n ysgafn. Edrychai'n smart iawn yn ei sgidiau newydd.

'Wela i di yn y parc amser cino,' meddai. 'O, alli di newid dy awr gino o fory 'mla'n? Rhwng un a dou ma'n un i.'

'Fe dria i 'ngore,' atebais. A mas â fe.

Roedd Mrs Morris wedi bod yn cuddio'r tu ôl i'r slipers ac wedi clywed popeth.

'Fydd hi ddim yn bosib i newid 'ych awr gino, Miss Bowen,' meddai'n oeraidd. 'A dyw'r cadeirie 'na ddim yn ddigon glân. Sychwch nhw 'to plîs.'

Roeddwn i mor hapus y cwbwl ddwedais i oedd, 'Unrhyw beth i chi, Mrs Morris!' A thaflais gusan fach ati cyn mynd i'r gegin ar flaenau 'nhraed. Clywais Mr Biggs yn ochneidio.

Fe alwon ni heibio i'r farchnad yn ystod yr awr ginio a phrynu defnydd cotwm lliw gwin i wneud crys i Tom. Rown i wedi'i gynllunio fe ar ddarn o bapur yng nghaffi Ron, yng nghanol y cwpanau coffi. Rown i'n ysu am gael dechrau arno fe.

Roedd Dad mas y noson honno. Syllu ar y bocs oedd Mam gan edrych drwy gil ei llygad arna i'n torri'r defnydd ar y ford fawr. Roeddwn i'n dilyn patrwm ar gyfer blows ond yn rhoi digonedd o led ar yr ysgwyddau a digonedd o hyd i'r breichiau. Y gwddw a'r coler oedd yn anodd. Fe dynnais sawl enghraifft ar bapur newydd a'u hongian nhw rownd 'y ngwddw a'u hastudio nhw yn y drych.

'Shwt wyt ti'n gallu neud 'na?' gofynnodd Mam. 'Fentren i ddim.'

'Ma' fe'n hawdd,' atebais. 'Unwaith cewch chi'r darne fflat yn iawn chi'n gallu gweld shwt byddan nhw pan fydd rhywun yn 'u gwisgo nhw.'

Edrychodd ar y coler papur oedd amdana i, ei phen ar un ochr.

'Ma' hwnna braidd yn fowr on'd yw e?'

'O dim i fi ma' fe,' atebais. 'I Tom.'

Doedd hi ddim yn grac, yn ôl ei golwg hi beth bynnag.

'Wel, os wyt ti'n neud cryse iddo fe . . . Ody fe'n grwt neis? Y Tom 'ma?'

'Ody. Tomos Jenkins yw 'i enw llawn e.'

'Tr'eni na fydde fe'n iwso'i enw llawn. Ma' Tomos yn enw bach neis iawn.'

Ar adegau fel hyn pan fyddai hi mewn hwyliau go lew roedd hi'n reit hawdd siarad â Mam. Ond roedd gofyn troedio'n ofalus, rhag ofn.

'Ble ma' Dad 'te?' holais.

'Wedi mynd â rhyw gwsmer mas i swper. Ma' fe'n lwcus bo'r banc yn talu'i goste fe ne' fydde'r holl fusnes 'ma o fynd â phobol mas yn costi ffortiwn.'

'Pwy ŷn nhw i gyd 'te? Pam na allan nhw drafod busnes yn y banc yr un peth â phawb arall?'

'Ma' dy dad yn gydwybodol iawn. Ma' 'na lot o fanijers sy ddim yn cymryd unrhyw ddiddordeb yn 'u cwsmeried. Ond fel ma' dy dad yn gweud, ma'r elfen bersonol mor bwysig. Cofia di, dyw e ddim yn enjoio'r peth. Goffod iddo fe fynd rownd rhyw ffatri ieir pwy ddwyrnod.'

'Do. Fe ddisgrifiodd e'r lle'n fanwl y nosweth 'na gethon ni chicken curry i swper. O'n i'n teimlo'n dost reit.'

'Ti'n iawn.' Yna ochneidiodd. 'Fydda i byth yn cofio fyddi di 'ma i swper ne' beido'r dyddie hyn.'

Tir peryglus oedd hwn. Penderfynais droi'r sgwrs.

'Wel o leia 'ma fe'n ca'l bwyd iawn pan fydd e'n byta mas. Sdim isie i chi fecso am gadw pethe'n dwym nes daw e sha thre.'

'Fydde dim ots 'da *fi* ga'l mynd mas am bryd bach o fwyd nawr ac yn y man,' meddai gan ochneidio eto. 'Ond ma' dy dad yn blino ar fyta mas. Ma'n well 'da fe fwyd cartre.'

'Ble ma' fe'n mynd â'r bobol 'ma i gyd? Rhywle posh?'

'Go brin. Ma'r banc yn eitha gofalus â'u harian. Rhyw lefydd bach yn Abertawe medde fe. Llefydd Indian fel arfer. Ma' 'na ryw le neis iawn newydd agor uwchben rhyw siop feto yn yr Uplands. Lle bach tawel siŵr o fod. Dyw e ddim yn lico lot o sŵn a goleuade ffansi.'

'Na, chi'n iawn. Bob tro o'n ni'n byta mas pan o'n i'n fach o'n i isie mynd i'r caffis oedd â goleuade orenj a seti plastic coch. Ond o'dd e'n lico llefydd tywyll a to gwellt a phethe.'

Torrais rownd y darn olaf o batrwm a chasglu'r darnau wast oedd ar lawr. Rown i bob amser yn eu gadael nhw ar lawr wrth dorri rhag i fi'u cymysgu nhw â'r darnau iawn. Doedd Mam ddim yn achwyn am yr annibendod ar ôl i fi egluro 'mod i unwaith wedi torri gwddw blows o ddarn o lawes.

Chwarae teg iddi, roedd hi wedi bod yn hynod o resymol ynglŷn â Tom. Ac rown i wrth 'y modd yn sgwrsio gyda hi fel hyn.

'Fe a'th Tom â fi i Landeilo'r wthnos diwetha. O'n i'm 'di bod 'na ers blynydde. O'dd e'n edrych yn wahanol . . .'

Sylweddolais wrth weld wyneb Mam 'mod i wedi gwneud mistêc.

'Ma'n rhaid i fi ddod yn gyfarwydd ag ishte gartre ar 'y mhen 'yn hunan,' meddai.

Fe driais i wneud jôc o'r peth.

'Wel, ma' hi'n anodd iawn ca'l tri ar gefen motor beic!'

Ond wenodd hi ddim. Cesglais y patrymau a'r defnydd a mynd at y drws. O hir brofiad rown i'n sylweddoli y byddai hi'n well i fi gario 'mlaen â 'ngwaith yn fy stafell.

Am ddeng munud wedi un drannoeth brasgamodd Tom ar draws y parc mewn boiler-siwt las.

'Pam 'set ti wedi gweud bo' ti'n dod 'ma'n strêt?' gofynnodd. 'Fues i'n aros amdanat ti yn y siop.'

Fel arfer fe deimlais yn euog. Roeddwn i wedi bod mor awyddus i fynd i brynu'r defnydd ar gyfer ei grys e ddoe, fe anghofiais sôn wrtho na allwn i newid amser f'awr ginio. Fe eglurais ac ymddiheuro, a chynnig bara menyn iddo fe.

'Ta,' meddai, a chymryd un. Roedd e wedi golchi'i ddwylo ond roedd 'na olew du rownd ei ewinedd.

'Ma' hi'n grêt ca'l gweitho,' meddai â'i geg yn llawn. 'Ma'n gas 'da fi din-droi drw'r dydd.'

Roeddwn i'n deall yn iawn.

Ar ôl i ni fwyta'r cwbwl ac yfed y Coke i gyd fe dynnodd Tom ei focs baco mas o'i boced a rowlio sigarét. Ar ôl ei thanio hi fe orweddodd 'nôl ar y fainc gan syllu i ganghennau'r goeden uwch ein pennau a chwythu cymylau o fwg.

'Ma' hi'n neis 'ma,' meddai. 'Yn enwedig ar ôl bod mewn hen le tywyll drw'r bore.'

Yn sydyn fe gododd a 'nhynnu innau ar 'y nhraed.

'Dere i ffindo rhwle i orwedd,' meddai.

Fe gerddon ni ar hyd y llwybr rownd y llyn i'r darn bach o borfa lle'r oedd 'na flodau gwyllt yn tyfu.

''Na welliant,' meddai, ac eistedd o dan fedwen arian fach. Eisteddais wrth ei ymyl.

'Ma' gwynt olew wastad yn neud i fi deimlo'n randi.'

Fe agorodd e 'mlows i a rhoi'i law ar 'y mron. Llifodd ias fel trydan drwydda i ar unwaith. Pan gusanodd e fi'n galed doeddwn i ddim yn siŵr ai ofn neu cynnwrf rown i'n ei deimlo. Ond y cynnwrf oedd yn drech.

'O Tom, wy'n dy garu di ti'n gwbod.'

Syllodd i lawr arna i drwy'i aeliau tywyll.

'Allen ni fynd draw i'r fflat,' meddai. 'Fydden ni ddim yn hir ar y beic. Gelen ni hanner awr.'

'Alla i ddim. Ma'n rhaid i fi fod 'nôl am hanner awr wedi un.'

'Ti newydd weud bo' ti'n 'y ngharu i.' Wedyn fe gusanodd e 'ngheg i a 'ngwddw, a thynnu strap 'y mra i lawr dros f'ysgwydd.

'Falle welith rhywun ni,' meddwn i, ond doedd arna i ddim isie iddo fe stopio chwaith.

'*So what*? Falle ewn nhw sha thre a bod yn neis wrth 'u gwragedd.'

'Ne'u gwŷr,' meddwn innau. Roeddwn i'n teimlo'n od. Rown i'n ysu am fynd 'mlaen a 'mlaen er mwyn profi'r wefr fawr roedd pawb yn sôn amdani. Rown i mor agos ati ac eto mor bell. Roedd hi'n amlwg fod Tom yn teimlo'r un mor rhwystredig achos ymhen rhai eiliadau fe drodd ar ei gefn a rhoi'i fraich dros ei wyneb. Wrth gau botyme 'mlows cofiais 'mod i wedi rhoi lipstic coch llachar ar fy ngwefusau cyn gadael y siop. Fyddai 'na fawr ohono ar ôl. Wedyn fe edrychais ar fy wats.

'O'r nefoedd fowr! Ma' hi'n gwarter i ddou!'

'Bant â ti 'te,' meddai, heb symud.

Fe sefais a sychu'r borfa oddi ar fy sgert.

'Wela i di heno?' holais.

Heb dynnu'i fraich o'i wyneb fe ddwedodd, 'Wy'n gweitho tan whech. Aros amdana i yn caffi Ron os lici di.'

'Iawn.' Plygais a rhoi cusan fach ysgafn iddo fe.

'O cer 'nei di?' meddai'n grac.

Fe ddechreuais redeg oddi wrtho ar draws y borfa nes i fi fwrw 'nhroed ar botel lemonêd wag a hanner baglu. Fe arafais wedyn. Pam oedd e mor gas? Nid arna i roedd y bai taw hanner awr o'i gwmni e oedd 'da fi. Falle y dylwn i fod wedi trio trefnu rhywbeth ynglŷn â'r bilsen, ond doeddwn i ddim wedi cael rhyw lawer o gyfle. Ac roeddwn i'n casáu'r syniad o orfod datgelu wrth ryw ddieithryn beth o'n i'n bwriadu'i wneud heb allu dychmygu sut brofiad fyddai fe yn y pen draw. Oedd Liz yn teimlo'r un peth ynglŷn â Gary? Doedd hi ddim wedi mentro'r holl ffordd chwaith. Roedd hi'n barod i wneud, meddai hi, dim ond iddi gael gafael yn y bachgen iawn—rhywun 'spesial'.

Roedd Mrs Morris yn sefyll yn y drws yn chwilio amdana i. Diflannodd pan welodd hi fi'n rhedeg lan y stryd a phan es i i mewn roedd Mr Biggs yn aros amdana i.

'Reit Sali,' meddai, ''ma'r rhybudd ola, a 'ma'ch cyfle ola. Ma' hi wedi troi dou o'r gloch. Ŷch chi dros hanner awr yn hwyr. A pheth arall, wy'n deall 'ych bod chi wedi bod yn hynod o ddig'wilydd wrth Mrs Morris ddo'. Wy'n disgwyl i chi ymddiheuro wrthi, a dyw e ddim i ddigwydd 'to. Odych chi'n deall?'

'Odw,' meddwn i'n fyr 'y ngwynt. Roeddwn i wedi rhedeg bob cam o'r parc.

'Reit 'te, well i chi drio neud ymdrech i edrych yn fwy teidi.'

Pan edrychais ar fy llun yn y drych yn y gegin fe ges i

dipyn o sioc. Roedd 'na borfa yn 'y ngwallt a lipstic coch rownd 'y ngheg i gyd. Yn waeth byth roedd 'na staen porfa ar lawes y flows wen a marciau bysedd duon rownd y botymau. Syllais ar y llun yn llawn cydymdeimlad. Druan â ti, meddyliais, rwyt ti wedi'i gwneud hi nawr.

Daeth Mrs Morris drwy'r drws a sefyll y tu ôl i fi. Pam na fyddai hi wedi aros i roi cyfle i fi ymbarchuso tipyn? Trois ati a dweud, 'Ma'n ddrwg 'da fi, Mrs Morris. 'Neith e ddim digwydd 'to.'

Ddwedodd hi ddim byd am rai eiliadau. Ond pan ddechreuodd hi siarad roedd tôn ei llais yn hollol wahanol i'r hyn rown i wedi arfer ag e. Roedd hi'n amlwg wedi penderfynu gwneud ymdrech.

'Ma'n ddrwg 'da finne hefyd. Ma'n ddrwg iawn 'da fi weld merch ifanc yn neud cawl o'i bywyd. Ma'n rhaid i fi gyfadde, pan ddaethoch chi 'ma i ddechre, â'r gwallt pinc 'na a phethe, fe feddylies i taw hen groten fach ddwl o'ch chi. Ond fe berswadodd Mr Biggs fi i roi cyfle i chi. A ma' 'da fi barch mowr iddo fe. A fel ma' hi'n digwydd fe ddysgoch chi'r gwaith yn hawdd a fe gredes i falle bo' 'na ddigon o addewid yndoch chi wedi'r cwbwl.'

Addewid? I weithio mewn siop? Bygythiad oedd hynny, nid addewid. Ond roedd 'da Mrs Morris fwy i'w ddweud. Rhoddodd ei llaw fach dew ar 'y mraich.

'Peidwch â thowlu'ch hunan at y crwt cynta welwch chi, bach. Credwch chi fi, dim fe yw'r unig un. Ma' 'na ddigon o bysgod yn y môr.'

Teimlais fy hunan yn rhewi. Pa hawl oedd ganddi hi i siarad fel 'na am Tom. Doedd hi ddim yn ei nabod e.

'Diolch, Mrs Morris. Fe dria i gofio beth wedoch chi.'

Trois fy nghefn arni a dechrau cribo 'ngwallt. Doedd e ddim mor gyrliog erbyn hyn. Rown i'n defnyddio *rollers* yn lle rhacs nawr am eu bod nhw'n rhy drafferthus. Ond roedd golwg fel Heinz Spaghetti arno fe. Gallwn weld Mrs Morris yn fy llygadu i yn y drych. Ond ar ôl tipyn fe ddiflannodd hi'n ôl i'r siop.

Galwodd Liz yn hwyrach ac fe ddechreuais ofni y byddai Mrs Morris yn ffrwydro unwaith eto. Ond roedd hi a Mr Biggs yn y cefn yn rhywle yn rhestru'r stoc newydd at yr hydref.

'O Liz, wy mor falch dy weld di.'

'Beth sy'n bod?'

Dwedais y cwbwl wrthi am beth ddigwyddodd yn y parc a chyrraedd 'nôl yn hwyr a bod fy job yn y fantol.

'Ond y peth pwysica,' meddwn i, 'yw bo' raid i fi fynd ar y pil. Ond alla i ddim â wynebu Doctor Watkins.'

'Be ti'n feddwl, ma' raid i ti?'

'Am bo' fi isie. 'Na pam o'dd e mor od wrtha i yn y parc. Ma' fe 'di arfer â merched sy'n fo'lon, on'd yw e? A finne'n pallu . . . Beth yw dy sefyllfa di a Gary?'

'Allith y diawl aros nes bo' fi'n barod, reit? Pam ddylen i gawlo'n *hormones* i gyd er mwyn pleso'r boi cynta sy isie tynnu'n nicers i?'

'Ond so ti isie? Wy i jyst â marw isie. Ma' fe'n 'yn hala i'n ddwl.'

'Fel 'na o'n i 'da Tony Green. Ond ches i'm cyfle, do fe?'

Crychodd ei thalcen, ac ochneidio.

'Dyw cariad a rhyw ddim yr un peth ti'n gwbod. O'n i wastad yn credu bo' raid iddyn nhw fynd 'da'i gilydd. Ond wy ddim mor siŵr nawr. Allet ti aros yn hir iawn cyn cwrdd â'r boi spesial 'na. Yn y cyfamser, man a man bo' ti'n byw ontefe?'

'Ond *ma'* Tom yn spesial! A ma' fe'n mynd i flino'n glou

iawn ar orwedd ar y borfa a phethe. Ofynnodd e i fi fynd i'r fflat 'dag e heddi.'

'Wel ti'n dwp, 'na i gyd. Ma' pob dyn yn trio merch i weld pwy mor bell eith hi. Ond tase 'da fe rywfaint o barch atat ti fydde fe ddim yn trio dy dynnu di i'r gwely heb drafod 'da ti gynta.'

'Ma'r cwbwl yn gawdel, 'na i gyd Liz. Pan fydda i gyda fe, sdim byd arall yn bwysig. Bryd arall, fel nawr, ma' pethe'n wahanol a ma'r cwbwl yn hala ofan arna i. Dwl ontefe?'

'Dyw e ddim yn ddwl o gwbwl. Dy gorff di yw e, a allith neb dwtsh ag e os nag wyt ti isie. Ond os wyt ti'n penderfynu, y lle gore i fynd yw'r Family Planning tu ôl i'r ysbyty. Ma' Marion yn gweud 'u bo' nhw'n neis iawn 'na.'

Edrychodd heibio i fi a gwelais fod Mrs Morris wedi ymddangos a'i bod hi'n edrych arnon ni.

'Well i fi fynd,' meddai Liz. 'Gwranda, ma' dwyrnod bant 'da fi dydd Iau. Gwrdda i di ar ôl cau'r lle 'ma?'

'Iawn, fan hyn am hanner awr wedi pump,' atebais, gan fynd ati'n egnïol i roi trefn ar silff o sandalau.

'Grêt,' meddai Liz, a diflannu drwy'r drws.

Fydda i ddim yn aros am Tom yng nghaffi Ron nos Iau, meddyliais. 'Na ddysgu gwers fach iddo fe am fod mor od. Gwenais yn betrus ar Mrs Morris ac fe wenodd hi'n ôl. Fe ges i dipyn o syndod wrth weld ei bod hi'n ymylu ar fod yn bert.

Gan 'mod i wedi addo cwrdd â Tom yng nghaffi Ron fe es i yno'n syth ar ôl gwaith. Roedd hi'n anodd cadw draw er 'mod i'n sylweddoli y gallai Tom fod mewn hwyliau drwg o hyd.

'Dou goffi a dou fisged?' holodd Ron.

'Dyw Tom ddim 'ma 'to,' atebais. 'Ma' fe 'di ca'l job.'

'Gwd, wy'n falch clywed.'

Roedd y lle'n wacach nag arfer ac fe ges i sêt wrth un o'r fordydd. Roeddwn wedi prynu cylchgrawn i'w ddarllen gan 'mod i'n casáu loetran ar 'y mhen fy hunan. Daeth Ron â'r coffi a'r fisged ata i.

'Hen bethe drud yw'r rheina ontefe,' meddai gan bwyntio at y cylchgrawn.

Rown i wrth 'y modd ei fod e'n siarad â fi.

'Wy'n dwli arnyn nhw. Ond dy'n nhw byth cystal â ma'n nhw'n edrych yn y siop.'

'Fel'ny ma'i ontefe.'

Sychodd ei ddwylo yn y clwtyn sychu llestri roedd e'n ei wisgo rownd ei ganol fel ffedog.

'Ble ma' fe 'di ca'l job 'te?'

'Garej Ben. Gweitho ar enjins.'

'Gwd,' meddai eto. 'Gobeitho sticith e ontefe.'

Wyneb main fel bwyell oedd ganddo, a chlamp o drwyn cam. Fe frwshodd e ambell friwsionyn o'r ford â'i law.

'Watsha di Tom,' meddai'n sydyn.

Teimlais fy mochau'n gwrido ac fe ddechreuais droi'r coffi'n ffyrnig er nad oeddwn wedi rhoi siwgr ynddo fe.

'Paid â gweld whith nawr,' meddai wedyn, 'ond tipyn o dderyn yw e ti'n gwbod. Boi olreit, cofia, os ti'n 'i nabod e'n dda. Sawl gwaith odw i wedi goffod gweud celwydd wrth ryw groten fach sy 'di dod miwn fan hyn i whilo amdano fe, a finne'n gwbod yn iawn 'i fod e gyda croten arall. Ond wyt ti'n edrych fel 'set ti'n gwbod shwt ma'i drafod e. Ac os ti'n gwbod pwy ffordd ma'r gwynt yn chwythu cyn dechre sdim problem wedyn o's e?'

Fe chwarddodd a wincio.

'A fel gwedes i, ti'n edrych fel 'set ti'n gallu'i drafod e'n iawn.'

'Dim problem,' meddwn i'n ddi-hid.

Rhoddodd Ron winc fach arall cyn mynd 'nôl y tu ôl i'r cownter. Rown i'n esgus darllen y cylchgrawn, ond roedd 'y nhu mewn i'n berwi a doeddwn i'n gweld dim ar y tudalennau o 'mlaen. Roedd 'y ngwallt pinc i'n datgan i'r byd 'mod i'n dipyn o fenyw. Ond roedd hi'n anodd f'argyhoeddi fy hunan o hynny.

O'r diwedd martsiodd Tom drwy'r drws â'r byclau ar ei sgidiau'n tincial fel clychau bach.

''Na beth o'dd diawl o ddwyrnod!' meddai wrth suddo i'r sêt. 'Wy jyst â cwmpo.'

Fe gusanodd e fi'n ysgafn a gweiddi, 'Dou goffi, dou fisged Ron!'

Chymerodd Ron ddim sylw ohono fe.

'Gwed "plîs",' meddwn i.

'Twt, ŷn ni'n deall 'yn gilydd.'

Doedd e ddim fel tasai'n cofio beth oedd wedi digwydd yn y parc amser cinio. Ond ar ôl rhai eiliadau fe edrychodd e arna i a gwenu.

'Diolch am ddod. O'n i ddim yn siŵr a fyddet ti 'ma.'

Falle'i fod e'n cofio wedi'r cwbwl.

'Fydda i 'ma bob amser,' meddwn i. Ac rown i'n ei feddwl e. Ond roedd golwg bell ar Tom.

'Ma'n nhw'n cynnig oferteim i fi 'da'r job 'ma. Os odw i isie, wrth gwrs. Fydde hi'n neis neud 'bach o arian ecstra.'

'Faint fydde raid i ti weitho?'

'Dwyawr bob nos. O whech i wyth.'

Fe driais guddio fy siom ond mae'n amlwg na lwyddais achos fe roddodd e'i law dros fy llaw i a gwenu.

'Weda i 'thot ti beth 'nawn ni. Nos Wener, ar ôl i fi ga'l 'yn nhalu, ewn ni i Abertawe a cha'l *night-out* iawn. Pryd o fwyd a phethe. Olreit?'

'Sdim lot o bwynt os fyddi di'n gweitho tan wyth.' Yn sydyn, clywn Mam yn dweud yr union eiriau yn ei llais bach cwynfanllyd.

Crychodd Tom ei dalcen.

'Fydda i'n cwpla am whech y dwpsen,' meddai. 'Fydd raid i fi ga'l bath a phethe.'

Gwasgais ei law yn dynn.

'Grêt,' atebais. 'Wy'n edrych 'mla'n.'

'Ble allwn ni fynd? Ti'n gwbod am rwle neis? Dim rhy ddrud, cofia.'

Fe gofiais am sgwrs Mam a finnau.

'Ma' 'na le bach neis newydd agor. Italian. Uwchben siop fwci.'

Roedd e'n gwenu.

'Ti'n gwbod tipyn am y pethe 'ma,' meddai.

Fe gyrhaeddodd Ron â'r coffi a'r bisgedi.

'Ti sy'n talu heddi?' gofynnodd i Tom.

'Nage, sdim ceiniog 'da fi tan dydd Gwener. Fe dalith y musus.'

'Blydi grêt ontefe,' atebodd Ron. A chan ysgwyd ei ben fe ychwanegodd, 'Shwt yn y byd wyt ti'n 'i ddiodde fe gwed?'

Gwenais arno. Roeddwn i mor falch fod Tom wedi 'ngalw i'n 'misus'. Ac fe anwybyddais i'r winc roddodd Ron i fi wrth iddo fynd 'nôl tu ôl i'r cownter. Roedd hi'n bryd i Ron gadw'i sylwadau iddo fe'i hunan.

8

Drannoeth, roedd hi'n ddydd Mercher, hanner diwrnod unwaith eto—ac wythnos er y trip bythgofiadwy i Landeilo. Es i â bwyd gyda fi i'r parc fel arfer. O leiaf fe allen ni gael awr fach gyda'n gilydd. Doedd arna i ddim isie bwyta'r picnic cyn iddo fe gyrraedd, ond am ugain munud wedi dau fe ddechreuais i fwyta un sandwich yn araf gan ryw hanner disgwyl ei weld e'n rhedeg tuag ata i dros y borfa.

Fe arhosais tan dri. Wedyn fe gerddais adref, gan feddwl falle y byddai'n cyrraedd ar ei feic. Pam o'n i'n poeni cymaint? Penderfynais fwrw 'mlaen â'i grys. O leiaf roedden ni wedi dewis y defnydd gyda'n gilydd. Doedd hynny fawr o gysur, ond yn well na dim.

Drannoeth fe es i i'r parc eto, ac aros amdano fe. Rown i mor falch ei weld e'n cerdded tuag ata i, gan rowlio sigarét. Llyfodd y papur a'i stico fe lawr wrth iddo fe 'nghyrraedd i, ac yna suddodd ar y borfa.

'Shw' ma'i?' meddai, a thanio matsien. Taniodd ei sigarét a thaflu'r fatsien i'r llawr.

'Ble ti 'di bod?' gofynnais i'n siort.

'Gweitho!' atebodd, fel tasai hynny braidd yn amlwg. 'Dyw 'ngwaith i ddim fel gweitho mewn siop ti'n gwbod. Alla i ddim gadel rhwbeth ar 'i hanner am un o'r gloch.'

'Wel byta beth o'r bwyd 'ma. Fydd raid i fi fynd mewn pum munud.'

'Paid â becso. Sdim problem ymbytu arian nawr bo fi'n gweitho. Alli di weud 'thyn nhw am stwffo'u job, ne' weitho am gwpwl o orie bob dydd. Fydde dim problem ymbytu amser cino wedyn.'

Syllais arno. Gallwn glywed geiriau Liz.

‘’Set ti’n ’yn lico i fel person,’ meddwn i, ‘fyddet ti ddim yn disgwl i fi “stwffo’n job” jyst er mwyn i ni ga’l mwy o amser gyda’n gilydd.’

Cydiodd yn fy llaw.

‘’Sen i ddim yn dy lico di fydden i ddim isie bod ’da ti o gwbwl, fydden i?’

Teimlais yr ias oedd bob amser yn ei gwneud hi mor anodd i weld pethau’n glir. Triais fod yn gall.

‘Ma’n rhaid i fi ga’l arian,’ mynnais. ‘Wy ’di gweud ’thot ti. Ma’ Liz a finne isie mynd bant ’da’n gilydd. O’n ni ’di trefnu cyn i fi gwrdd â ti.’

Gwasgodd y sigarét i’r borfa a chymryd sandwich.

‘Neis iawn,’ meddai. ‘Sdim gobeth i fi ga’l gwylie o’s e?’

‘Wel, dim arna i ma’r bai am hynny ife?’ Gwthiais y bwyd i gyd a’r ddau dun Coke ato fe. ‘Ma’n rhaid i fi fynd.’

‘Olreit, os o’s raid i ti. Wela i di heno yn lle Ron.’

‘Na, ’nei di ddim. Wy’n cwrdd â Liz heno.’

Rhedais ar draws y borfa gan drio ’ngorau i beidio â difaru ’mod i wedi trefnu cwrdd â Liz.

Fe benderfynon ni beidio â gwario dim y noson honno a chadw’r cwbwl at y gwyliau. Roeddwn i’n dechrau edrych ’mlaen unwaith eto. Roedd brwdfrydedd Liz yn heintus.

Fe gerddon ni heibio i’r siopau yn trafod gwyliau ac yn chwilio am ddillad diddorol. Rown i bob amser yn falch o gael syniadau newydd. Wedyn fe aethon ni’n ôl i dŷ Liz. Eisteddai’i mam o flaen y bocs â sigarét mewn un llaw ac *ashtray* yn y llall. Fe yfon ni ddishgled o de gyda hi cyn mynd lan i stafell Liz.

Wrth gwrs fe drodd y sgwrs at Tom a Gary, ac fe

gytunon ni ei bod hi'n bosib i rywun fod mewn perthynas agos â rhywun arall *a* chreu gyrfa a chadw hunan-barch yr un pryd. Fe fyddai'n rhaid i Tom sylweddoli bod 'da finnau fy hawliau hefyd. Neu fe allai fe fynd i grafu.

Roedd hi mor hawdd bod yn gytbwys ac yn gall â Liz yn eistedd wrth f'ymyl i ar y gwely. Er ei bod hi'n gwisgo hen ffrog satin lachar roedd ei gwallt byr yn gwneud iddi edrych yn syber iawn. Fe gytunon ni'n dwy ein bod ni'n hynod o resymol. Ond gwyddwn yn iawn y byddai pethau'n hollol wahanol yng nghwmni Tom. A dweud y gwir roedd 'na un darn bach ohona i'n dymuno peidio â bod yn rhesymol.

Pan gyrhaeddodd Tom y fainc yn y parc drannoeth roedd e mewn hwyliau da iawn. Roedd hi'n ddiwrnod poeth a'r haul yn disgleirio drwy'r dail melyn. Roeddwn i'n dyheu am fod yn y wlad go iawn, heb hen sbwriel ym mhobman.

'Ti'n iawn am heno 'te?' holodd.

Gwenais arno. Roedd fy ngheg i'n llawn afal. Y noson cynt rown i wedi breuddwydio 'mod i'n bwyta mas yng nghwmni Tom. Ond doedd arna i ddim isie cofio am yr hen freuddwyd achos doeddwn i ddim wedi cael rhyw lawer o gwmni Tom ynddi am ei fod e'n trafod beics gyda rhyw ddieithryn. Wedyn roedden nhw wedi diflannu drwy'r drws gan fy ngadael i i dalu'r bil.

'Hanner awr wedi saith,' meddai.

'Iawn.'

Twriodd yn y bag bwyd a thynnu sandwich mas.

'Ham! Jawch ma' dy fam yn gwbod shwt ma' neud rhai neis on'd yw hi!'

'Fi 'nath nhw a gweud y gwir,' meddwn i'n sych.

'Whare teg i ti,' meddai, â'i geg yn orlawn.

Rown i'n deall yn iawn nad oedd e'n poeni pwy wnaeth nhw. Ond doedd dim ots 'da fi. Y peth pwysig oedd ein bod ni'n hapus. Ar ôl gorffen bwyta fe roddodd e'i fraich amdana i ac fe eisteddon ni am dipyn yn yr haul cynnes.

Roeddwn i ddeng munud yn hwyr yn cyrraedd 'nôl i'r siop. Ond rown i wedi aros 'mlaen ddeng munud cyn amser cinio yn clirio ar ôl rhyw fenyw ffyslyd oedd ag un droed yn fwy na'r llall. Phrynodd hi ddim yn y diwedd, ond nid arna i roedd y bai am hynny. Fel dwedodd Tom pan soniais i amdani wrtho, fe fyddai gof yn fwy o help iddi na siop sgidiau.

Gan fod Mr Biggs wedi talu fy nghyflog i am yr wythnos heb unrhyw rybudd na bygythiad teimlwn yn eithaf hapus fy myd.

Allwn i ddim penderfynu beth i wisgo'r noson honno. Doedd dim diben gwisgo ffrog bert i fynd ar gefn beic. A beth bynnag rown i am wneud yn siŵr y byddwn i'n ddigon cynnes. Byddai fy nhrwyn i'n siŵr o ddiferu pe bawn i'n oer, nes byddai 'na olwg ddychrynllyd arna i. Rown i wedi gwneud pâr o drowsus tyn o gotwm du a phatrwm aur arno fe, ac fe benderfynais eu gwisgo nhw gyda blows wen a gwasgod satin.

Rhois fwy o liw pinc yn 'y ngwallt a stwffio *pipe-cleaners* iddo fe i'w wneud e'n gyrliog. Pan o'n i wrthi'n gwneud fy llygaid fe glywais Tom yn canu'r gloch a Mam yn agor y drws iddo fe. Erbyn i fi fynd i lawr i'r stafell fyw roedd e'n eistedd yn hapus reit â gwydraid o sherry yn ei law yn gwrando ar Mam yn adrodd, rhwng ambell sip o'i sherry hithau, am ei charwriaeth â'r boi o'r Coleg Cerdd Brenhinol sy bellach yn arweinydd enwog. Rown i wedi clywed y stori ddwsinau o weithiau.

'Fe ethon ni i'r ffair 'ma chi'n gweld,' meddai hi, 'a fe fynnodd Pierre 'yn bod ni'n mynd i ga'l gweud 'yn ffortiwn 'da'r hen sipsi 'ma, Gypsy Rose Lee ne' rwbeth. Dim sipsi iawn o'dd hi, dim ond hen fenyw wedi gwisgo *ear-rings* mowr a rhoi dwster coch am 'i phen. Ond fe gofia i am byth beth wedodd hi wrtha i. "Yn dy ddwylo di ma'r cwbwl," wedodd hi. "Ma' 'na hapusrwydd yn mynd i ddod i ti os 'nei di'r penderfyniad iawn. Ond os 'nei di'r penderfyniad rong, fe gawlith hynny'r cwbwl." '

'Beth ddigwyddodd?' holodd Tom.

'Bythefnos yn ddiweddarach fe ofynnodd Pierre i fi fynd i'r Eidal gyda fe. Tasen i wedi mynd fydden i wedi colli'n arholiade gradd. "Post-grad" o'dd Pierre chi'n deall. Ta beth, o'n i'n siŵr taw mynd gyda fe fydde'r "penderfyniad rong" o'dd y sipsi wedi sôn amdano fe.'

'A ethoch chi ddim.'

'Naddo. Fe gwrddodd Pierre â merch yn yr Eidal. Fe bases i'r arholiade a dechre dysgu. Wedyn fe briodes i a cha'l Sara.'

'Sara?'

'O Sali 'te.'

Edrychodd Tom arna i a gwenu, ond sylwodd Mam ddim.

'Fe 'nes i fistêc. Y "penderfyniad rong" oedd aros yn y coleg. A drychwch arna i erbyn hyn, ar 'y mhen 'yn hunan yn y tŷ tra bo' pawb arall yn galifanto ac yn enjoio.'

Fyddai hi wedi bod dipyn haws tasai Dad gartref y noson honno. Roedd hi mor anodd gadael Mam ar ei phen ei hunan.

'Y jipsen enillodd yn y diwedd os chi'n gofyn i fi,' meddai Tom. 'Wel, alle hi ddim colli, alle hi? Ma' rhywun yn siŵr o neud y "penderfyniad rong" rywbryd on'd ŷn nhw?'

''Na'n hanes i ta beth,' meddai Mam.

Yfodd Tom ei sherry a sefyll ar ei draed.

'Well i ni 'i siapo hi. Diolch am y sherry, Mrs Bowen. Wela i chi 'to. Dere, *Sara*!'

A mas â fe cyn i Mam gael cyfle i ddweud dim mwy. Fe driais i ymddiheuro.

'O'n i wedi gweud 'thot ti shwt un yw hi. Yn becso o hyd 'i bod hi wedi ca'l cam. Y drwg yw taw ar rywun arall ma'r bai o hyd.'

'Sdim rhyfedd bo' dy dad yn aros mas shwt gymint!'

Gyda lwc fe welais y lle bwyta wrth fynd heibio. Fe barciodd Tom y beic ac fe gerddon ni'n ôl ar hyd y stryd. Lle bach syml oedd e, â byrddau a chadeiriau pren a llieiniau bord pinc. Ond doedd 'na ddim canhwyllau na goleuadau llachar na miwsig ac Eidalwyr oedd yn gweini. Rown i'n deall pam oedd Dad yn ei lico'r lle. Deuai gwynt neis o gyfeiriad y gegin.

Doeddwn i ddim yn siŵr iawn sut y byddai Tom yn ymddwyn mewn lle fel hwn. Â'i agwedd anarchaidd e at bopeth fe allai unrhyw beth ddigwydd. Fe allai roi'r broga ar y ford hyd yn oed. Am unwaith rown i'n dyheu am fod yn hollol gonfensiynol.

Rhoddodd yr helmets i hongian, a'm helpu i i dynnu fy siaced.

'Allen i'm gweud dim o fla'n dy fam, ond ti'n edrych yn ffantastic. O'n i'n becso y bydde hi'n dechre gweud shwt y galle hithe fod wedi edrych yn ffantastic tase hi wedi priodi Pierre!'

'Ti'n iawn!'

'*A table for two, Sir*?' holodd y dyn ddaeth aton ni.

'*Yes, please*,' atebodd Tom.

Ar ôl i ni eistedd fe ofynnodd e ai fi wnaeth y dillad rown i'n eu gwisgo.

'Ie. Fi sy'n neud y rhan fwya. Ma' hi lot rhatach. Ma' dy grys di jyst yn barod gyda llaw.'

Cofiais am y sbort a gawson ni wrth i fi ei fesur e a finnau'n dweud wrtho am droi rownd a rownd a rhoi'i freichiau ar led.

'Pam ti'n gwenu?' holodd, ond tynnwyd ei sylw gan y *menu*. Dewisais felon i ddechrau ac fe ddewisodd Tom sardines. Rown i'n sylweddoli 'mod i'n hollol ddwl, ond fe ddifarais i beidio â dewis yr un peth ag e, nid am fy mod i'n hoff o sardines, ond am y byddai dewis yr un peth yn dod â ni'n nes at ein gilydd. Ffowlyn oedd arno fe isie fel prif gwrs ond rown i'n dechrau poeni am y gost felly fe ddewisais i *lasagne*. Er bod Tom yn ennill yn reit dda yn y garej roedd y pryd 'ma'n mynd i fod yn eithaf drud. Ac roedd arno fe ddyled i bobol o hyd. Penderfynais beidio â gofyn am y ddecpunt rois i fenthyg iddo fe.

Fe archebodd e *chianti* gwyn, a'i flasu e pan arllwyswyd diferyn i'w wydr.

'*Fine*,' meddai'n wybodus, ac rown i mor falch ohono fe.

'Ti'n byta mas yn amal?' holais, a difaru ar unwaith achos fe edrychodd e'n od arna i ac fe wridais innau.

'O'dd wejen posh 'da fi unweth. O'n i'n gweitho i'r ffyrm 'ma a o'n i fod mynd â Porsche lan i'r tŷ mowr 'ma lle o'dd hi'n byw. O'n nhw'n rowlo mewn arian ond o'dd y ferch 'ma'n hollol *bored*. Fe ddechreuon ni siarad. Ma'n siŵr bo' neb arall 'di siarad â hi fel o'n i'n neud. Fe ddechreuodd hi fynd â fi rownd gyda hi i bobman. O'n i'n ca'l amser grêt. Ond wedyn fe ddechreues i feddwl 'i bod hi'n 'y nghario i rownd fel handbag. A fe ges i ddigon arni.'

Gwenais gan drio peidio dangos mor genfigennus oeddwn i. Roedd e mor olygus yn ei grys gwyn. Roedd ei wallt e'n fwy cyrliog ar ôl ei olchi. Rown i wrth 'y modd ei weld e yn rhywle newydd o hyd, fel taswn i'n ei weld e am y tro cyntaf erioed.

Roedd y bwyd yn ardderchog.

'Iawn?' holodd Tom, a'm llygadu i dros y sardines.

'Grêt!' Teimlwn mor hapus nes bod arna i isie canu. Ond fe fyddai hynny wedi bod yn anodd â llond ceg o melon.

'Gwd!' Sylweddolais yn sydyn y dylwn i fod yn ofalus. Doedd arno fe ddim isie i fi ddangos gormod o emosiwn. Deallwn yn iawn erbyn hynny ei fod e'n awyddus i fi fod mor ddoniol ac mor feiddgar ag roeddwn i'n edrych. Do'wn i ddim i fod mynd 'dros ben llestri' fel dwedodd e.

Wrth aros am yr ail gwrs fe ddechreuais edrych rownd y stafell, rhag ofn y gwelwn i ryw ddillad diddorol. Roedd 'na griw mawr o Eidalwyr wrth y ford nesaf aton ni, ond roedd y menywod yn gwisgo sgertiau henffasiwn a blowsys ffrils a dynnai sylw at eu breichiau tew.

Crwydrodd fy llygaid y tu hwnt iddyn nhw at ran arall o'r stafell tu draw i fwa llydan. Roedd 'na fenyw yn eistedd yno, mewn ffrog gotwm o liw coffi. Roedd ganddi wallt tywyll trwchus. Estynnodd ei braich noeth dros y lliain bord pinc a chyffwrdd llaw y dyn a eisteddai gyferbyn â hi. Teimlais ias o sioc yn llosgi fy wyneb. 'Y nhad oedd y dyn.

'Beth sy'n bod?' holodd Tom. 'Ti fel 'set ti 'di gweld ysbryd!'

Doedd gen i ddim syniad beth i' ddweud. Roeddwn i bron iawn â llefen.

'Beth sy'n bod?' holodd Tom eto.

Fe yfais i ddiferyn o'r gwin a rhoi chwerthiniad bach dwl.

'Fel ma' hi'n digwydd, wy newydd weld Dad draw fan'na.'

Roeddwn i'n mynd i ychwanegu 'gyda'i gariad' ond allwn i ddim.

'O blydi grêt ontefe,' meddai Tom. 'Mynd â merch mas a pwy sy 'na? 'I thad! Ble ma' fe?'

'Draw fan'na,' atebais â'm llygaid lawr. Doedd arna i ddim isie'i weld e.

'Dim lot o wallt?'

''Na ti.'

Fe fuodd e'n ddistaw am rai eiliadau. Wedyn fe ddwedodd, 'Wy'n gweld. Dyw hi ddim yn debyg taw trafod busnes ma'n nhw ody hi?'

'*Pollo?*' gofynnodd rhyw lais.

'*For me*,' atebodd Tom.

'*And lasagne for you, signora. Some cheese?*'

'*Thank you*.'

Syllais yn ddiflas ar fy mhlat wrth iddo fe arllwys caws Parmesan drosto. Doedd arna i ddim isie torri i lawr.

'Cofia, alli di'm 'i feio fe,' meddai Tom wrth ymosod ar ei ffowlyn. 'Ma'r rhan fwya o ddynion yn neud 'run peth ag e.'

'Paid â siarad am y peth.'

Roeddwn i'n torri 'nghalon wrth feddwl am Mam gartref ar ei phen ei hunan. "Mae'r elfen bersonol yn bwysig iawn" meddai hi'n ddiniwed. Roedd hynny'n amlwg.

Rown i'n difaru 'mod i wedi dewis *lasagne*. Roedd e'n boeth ac yn drwchus ac yn drwm. A doedd arna i ddim isie bwyd nawr. Dad, 'y nhad *i*, gyda rhyw fenyw ddierth. A Mam gartref ar ei phen ei hunan. Teimlwn fel tasai 'na dwll anferth lle'r oedd fy nghartref i'n arfer bod. Nid fy nhad i oedd e mwy. Dyn bach canol-oed oedd e, yn mynd â'i gariad mas i swper. Dechreuais deimlo'n grac. Yfais fwy o win.

'Paid â becso gormod am y peth,' meddai Tom. 'Jyst achos bo' fe'n dad i ti, dyw hynny ddim yn golygu na allith e neud fel licith e. Wedi'r cwbwl, dyw dy fam ddim lot o sbort ody hi?'

'Dyw hi ddim yn ca'l lot o gyfle i ga'l sbort!' Ond cytunwn ag e. Oeddwn i'n barod i aros gartref i gadw cwmni iddi? Nac oeddwn. Fe fwytais lond ceg o *lasagne* a thrio gweld pethau'n gliriach. Roeddwn i wedi bod mor dwp. Pam ddes i i'r lle 'ma, lle oedd yn gyfarwydd iddo fe ar noson pan oedd e mas? Fe ddylwn i fod wedi sylweddoli y bydden ni'n cwrdd. Ond rown i wedi hanner gobeithio y byddai hynny'n digwydd. Rown i wedi dychmygu fwy nag unwaith y byddai Tom a finnau wedi cwrdd â Dad a rhyw ffrind busnes, rhyw ddyn golygus, soffistigedig, fyddai wedi troi at Dad a dweud, 'Wel John, ma' 'da ti ferch sy'n gwbod beth yw beth.' Fe fyddai Dad wedi gwenu'n wybodus arna i, ac fe fydden ni wedi rhannu'r gyfrinach amdano fe a'i fotor beic, cyn iddo fe gwrdd â Mam.

'O dere 'mla'n,' meddai Tom. 'Dyw hi ddim yn ddiwedd y byd!'

Gwenais arno. 'Wrth gwrs nag yw hi.' Ond allwn i ddim bwyta mwy o'r *lasagne*.

'*Something wrong*?' meddai'r llais.

'*No, no, I'm just not very hungry.*'

'*Would you like anything else? The sweet trolley?*'

'*Yes, please,*' meddai Tom gan lygadu'r *gâteaux* a'r *trifles* yn awchus.

Ond yn sydyn fe gododd e'i lygaid ac edrych dros f'ysgwydd. Fe drois i 'mhen a gweld bod 'nhad a'r fenyw wedi sefyll a'i fod e'n dal ei siaced er mwyn iddi hi roi'i breichiau i mewn yn y llewys. Cydiodd hi yn ei bag ac fe ddechreuon nhw gerdded tuag aton ni. Er nad oedden nhw'n edrych i'n cyfeiriad ni daeth teimlad o banic rhyfedda drosta i. Allwn i byth â'i wynebu e, a doedd dim digon o amser i ddianc i'r tŷ-bach. Rhois fy llaw dros fy wyneb a dechrau pesychian yn ysgafn. Wedyn plygais i lawr o dan y ford fel taswn i'n chwilota am 'y mag. Wrth dwrio ynddo fe am hances boced ddychmygol sylweddolais 'mod i'n edrych yn ddwl iawn. Ond doedd dim ots 'da fi. Pan godais i'n llygaid fe welais fod y ddau wedi mynd drwy'r drws.

Erbyn i fi godi 'mhen a stopio pesychian roedd 'na *chocolate gâteau* ar blat o flaen Tom.

'*Crême caramel for me,*' meddwn i gan taw hwnnw oedd y peth lleiaf a'r peth hawsaf i'w fwyta.

'Welon nhw mohona i do fe?' gofynnais pan gawson ni lonydd unwaith eto.

'Wrth gwrs naddo fe,' meddai Tom a'i geg yn llawn o *gâteau*. 'O'n nhw'n gweld neb ond 'i gilydd. Fydden nhw'm 'di sylwi arnat ti taset ti 'di cwmpo'n farw ar y llawr.'

'O diolch yn fowr.'

Ond teimlwn yn well ar ôl i Dad a'r fenyw fynd. Fe arhoson ni am dipyn i yfed coffi, wedyn fe grwydron ni ar hyd y strydoedd. Er bod 'na gymeriadau go amheus ar hyd y lle, yn enwedig yn sefyllian y tu fas i'r tafarnau a'r clybiau nos, teimlwn yn hollol saff yng nghwmni Tom. Bu Liz a finnau'n crwydro fel hyn droeon, gan deimlo bob tro ein bod ni'n mentro braidd a'n bod ni'n cynnig ein hunain i bob math o beryglon.

O'r diwedd fe gyrhaeddon ni'n ôl. Wrth i ni agosáu at y tŷ fe ddechreuais feddwl a fyddai Dad 'nôl eto, a beth ddylwn i ddweud wrtho fe. Allwn i ddim cyfaddef 'mod i wedi'i weld e, ond celwydd fyddai dweud unrhyw beth arall. Dechreuais ymarfer yn fy meddwl y pantomeim o ymddwyn yn normal.

'Do diolch, fe gethon ni amser grêt. Shwt a'th 'ych cyfarfod chi?'

Oedd hi'n bosib i fi ymddangos mor ddiniwed? Go brin. Fyddwn i byth eto yn teimlo'r un peth tuag ato fe.

Ond doedd e ddim wedi cyrraedd. Wrth i enjin y beic ddistewi clywais sŵn y piano'n hofran drwy'r ffenest, a gwyddwn yn iawn fod Mam ar ei phen ei hunan. Doedd hi byth yn canu'r piano pan fyddai Dad gartref.

'Licet ti ddishgled o goffi?' gofynnais.

'Dim diolch,' atebodd Tom. 'Rhag ofan ddechreuith hi achwyn mor ddiflas ma' hi 'di bod 'to.'

'Cachgi!'

'Falle bo' fi. Ond sdim isie whilo am drwbwl o's e?'

Ac fe fyddai 'na drwbwl, gwyddwn hynny'n iawn. A doedd arno fe ddim isie cael ei lusgo i mewn iddo fe. Doedd arno fe ddim isie cael ei glymu.

Treiddiai golau'r lamp drwy ganghennau'r goeden laburnum wrth i ni gusanu, ac roedd cerddoriaeth Chopin yn ein clustiau. Chwaraeai Mam yn araf, gan f'atgoffa i o'r ffordd y byddai hi'n ochneidio mor aml y dyddiau hynny. Ond ei bysedd anystwyth fyddai'n cael y bai ganddi. Roedd y dôn gyfarwydd yn f'atgoffa i o 'mhlentyndod. Y funud honno roedd hi'n gwneud i fi deimlo'n annioddefol o drist a finnau wrthi'n cusanu'n slei ac yn ofni gweld 'nhad yn cyrraedd 'nôl o'i affêr bach slei ei hunan.

'Ma'n rhaid i fi fynd,' meddwn i, er y byddwn wedi dwli aros mas dan y sêr drwy'r nos gyda Tom.

'Mm,' meddai, heb wneud unrhyw ymdrech i'm rhyddhau i.

'Enjoies i'r nosweth,' meddwn i'n ysgafn.

'Gwd.' Cusanodd fi eto. 'Ond tr'eni am y busnes 'na 'da dy dad.'

Teimlais ias o banic unwaith eto wrth ddychmygu'i weld e'n cerdded tuag ata i lan y stryd. Ond doedd dim sôn amdano.

'Fydde'n well 'da fi beido â'i weld e,' meddwn i. 'Dim heno, ta beth. Ma'n well i fi fynd.'

'Iawn, os taw fel 'ny ti'n teimlo. Ond ma'n rhaid i ti fyw 'dag e ti'n gwbod. Wela i di fory.'

'Yn y parc. A paid â bod yn hwyr!'

Gwenodd, heb addo dim. Wedyn fe gusanodd e fi eto, a gwisgo'i helmet. Cyn iddo fynd ar y beic rhedais at ddrws y cefn. Dim ond dianc rhag Dad oedd ar fy meddwl.

Rhois 'y mhen rownd i ddrws y stafell fyw.

'Shw' ma'i? Wy 'nôl.'

Stopiodd chwarae ar unwaith a throi ata i, gan ddal ei dwylo yn yr awyr fel llygoden fach ar hanner ymolch ei hwyneb.

'Shwt wyt ti, cariad? Licet ti ddishgled o de?'

'Dim diolch. A' i lan i'r gwely'n strêt. Gwaith fory chi'n gwbod.'

''Na ti 'te,' meddai.

Roedd golwg bell yn ei llygaid, a gwyddwn yn iawn fod y gerddoriaeth yn llenwi'i phen. Wrth i fi ddringo'r staer fe ailddechreuodd y dôn drist. Ond am bum munud wedi hanner nos fe dawodd yn sydyn. Mae'n rhaid ei bod wedi bod yn cadw golwg ar yr amser achos dyna pryd y byddai'r trên ola'n cyrraedd o Abertawe. Cyn hir fe glywais i gât y ffrynt yn agor. Roedd Dad wedi cyrraedd adref.

9

Pan ddihunais drannoeth fe benderfynais fod raid i fi fynd o'r tŷ cyn gynted ag y gallwn, cyn i Dad godi. Roedd hi mor bwysig 'mod i'n ei osgoi e, ac rown i mor falch 'mod i'n gweithio fel bod esgus 'da fi i fod o'r tŷ am y diwrnod.

Ond pan o'n i ar hanner yfed dishgled o goffi clywais sŵn traed ar y staer. Fe agorodd drws y gegin a cherddodd e i mewn. Roedd golwg mor anniben ag arfer arno fe, ac fe ddechreuais feddwl 'mod i wedi dychmygu'r cwbwl y noson cynt. Ai hwn oedd y dyn smart a oedd wedi codi'i wydryn i'r fenyw dywyll ei gwallt ac wedi edrych i'w llygaid hi mor gariadus? Roedden nhw wedi gadael y lle bwyta cyn naw, a doedd e ddim wedi cyrraedd adref tan hanner nos.

'Ti off i'r gwaith 'te, cariad?'

'Odw,' atebais, a rhoi dŵr oer ar ben 'y nghoffi er mwyn ei yfed e ynghynt.

'O'dd Mam yn gweud wrtha i bo' ti 'di bod mas i swper. Fuest ti i rwle neis?'

Fel arfer fe fyddwn i wedi dweud yr hanes i gyd wrtho. Ond y cyfan ddwedais i oedd 'do wir', gan obeithio i'r nefoedd na fyddai'n holi mwy. Fe edrychodd e'n od arna i, wrth glywed y tinc rhyfedd yn fy llais siŵr o fod, a mynd ati i lenwi'r tegell. Doeddwn i ddim wedi bwriadu dweud dim byd arall ond clywais fy hunan yn gofyn mewn llais oeraidd, 'A shwt noson gethoch *chi*?'

'O'r un peth ag arfer ti'n gwbod. Hen nosweithe bach digon diflas ŷn nhw. Ble est ti 'te?'

Celwyddgi. Fy nhad i'n gelwyddgi diegwyddor.

'Rhyw le bach yn Abertawe,' meddwn i'n bryfoclyd.

Edrychodd arna i drwy gil ei lygad.

'Gobeitho bo' ti'n ofalus. Wy ddim yn lico'r syniad bo' ti'n crwydro rownd Abertawe'n hwyr y nos, cofia.'

Synnu dim, meddyliais. Ond doedd arna i ddim isie trafod dim mwy, felly llyncais fy nghoffi a dweud, 'Hwyl nawr 'te,' yn ddidaro, cyn codi 'mag a mynd mas.

Roeddwn i'n crynu yn fy natur bob cam i'r siop. Sut yn y byd y gallai ddweud celwydd mor hawdd? Roedd e wedi hen arfer erbyn hyn siŵr o fod. Mae'n rhaid ei fod e wrthi ers blynydde.

Wrth weld fy llun yn y drych bach yn stafell gefn y siop fe sylweddolais taw yn fy nhymer rown i wedi rhoi *make-up* ar fy wyneb y bore hwnnw. Roedd 'na *eye-shadow* brown dros fy llygaid i gyd, a llinellau du, caled rownd iddyn nhw. Rown i wrthi'n trio lleddfu rhywfaint arnyn nhw pan gyrhaeddodd Mr Biggs. Tynnodd ei sbectol a'u gwisgo nhw wedyn. Roedd hyn yn arwydd drwg.

'Sali,' meddai o'r diwedd, ar ôl ystyried yn hir ac yn ddwys iawn, 'ma'n ddrwg 'da fi ddweud wrthoch chi 'mod i wedi penderfynu chwilio am rywun yn 'ych lle chi.

Fe fydda i'n barod i roi gair drostoch chi—wel mor barod ag y galla i fod o dan yr amgylchiade—os byddwch chi'n cael cynnig gwaith arall. Ond ar gyfer y siop yma fe fydda i'n chwilio am rywun mwy—wel—mwy teidi, os ŷch chi'n deall beth sda fi. Wy'n rhoi wthnos o notis i chi, o heddi. Fe fydd 'ych gwaith yn dod i ben ddydd Sadwrn nesa.'

Er 'mod i wedi cael tipyn o sioc fe driais i beidio â dangos dim.

'Chi'n gweud bo' fi 'di ca'l y sac?'

'Rhoi wthnos o notis i chi odw i, 'na i gyd,' meddai. 'A ma'n ddrwg iawn 'da fi bo' hyn wedi digwydd.'

'Man a man i fi fynd yn strêt 'te,' meddwn i. Allwn i ddim â dioddef gweithio yn y lle a finnau'n gwybod 'mod i wedi cael y sac.

'Ŷch chi wedi ca'l 'ych talu am heddi'n barod. Fe gewch chi'r arian am yr wthnos ddydd Gwener nesa. Fe fydd cyfle 'da chi i chwilio am waith arall.'

'O grêt! A pam bo' fi'n ca'l y sac? Wy ddim 'di bod yn hwyr na dim.'

'O'ch chi ddeng munud yn hwyr amser cino ddo'. Ac o'n i wedi'ch rhybuddio chi.'

Rown i'n gynddeiriog.

'O whare teg!' gwaeddais. 'O'n i ddeng munud yn hwyr yn mynd o 'ma! Achos ryw hen fenyw â thra'd od!'

'Ma'n ddrwg 'da fi ond alla i ddim trafod y mater ddim mwy.'

A mas â fe gan gau'r drws yn dawel y tu ôl iddo fe.

Ddaeth Tom ddim i'r parc. Fe eisteddais i'n hir ar y fainc yn aros amdano. Symudais i ddim pan ddaeth hi'n amser i fynd 'nôl i'r siop. Doedd dim ots 'da fi gan 'mod i wedi cael y sac beth bynnag. Rown i'n dyheu am gael dweud y cyfan wrth Tom, ac fe allwn i dyngu'i fod e wedi dweud taw tan un y byddai fe'n gweithio ar ddydd Sadwrn.

Pan gyrhaeddais i'n ôl i'r siop o'r diwedd fe edrychodd Mrs Morris yn gas arna i. Ond ddwedodd hi ddim. Rown i'n rhyw led obeithio y byddai hi'n dechrau pigo arna i. Fyddai hi wedi bod yn rhyddhad i gael dadl iawn 'da rhywun.

Ddaeth e ddim i'r siop amser cau. Fe es i i gaffi Ron ac eistedd yno am bron i awr yn sipian coffi diflas ac yn byseddu'r cylchgrawn a brynais wythnos ynghynt. Allwn i ddim edrych ar Ron. Gwyddwn yn iawn y byddai'n dweud rhywbeth wrth 'y ngweld i ar 'y mhen fy hunan. Fyddwn i wedi rhoi'r byd am weld Tom yn cyrraedd rhag i fi orfod eistedd fan'no fel ffŵl. Bob tro y clywn i'r drws yn agor, codwn fy mhen i weld pwy oedd 'na, wedyn edrych i lawr ar y cylchgrawn ar unwaith rhag edrych i lygaid rhyw ddieithryn.

Roedd hi'n tynnu at chwarter i saith. Allwn i ddim aros 'na drwy'r nos. Beth bynnag roedd 'na ddyn tew mewn crys-T tyn wedi dod i eistedd gyferbyn â fi. Rown i wedi gorfod troi i osgoi'i benliniau oedd yn gwthio yn erbyn fy nghoesau dan y ford. Ond roedd e'n fy llygadu i dros y ford wrth fwyta'i sosej a chips a gwyddwn ei fod ar fin dweud rhywbeth.

O'r diwedd fe stwffiais i'r cylchgrawn i 'mag a chodi. Pan o'n i'n twrio am fy mhwrs i dalu am y coffi, pwy gerddodd drwy'r drws ond Tom.

'Shw' ma'i te? Beth ti'n neud 'ma? Gweitho'n hwyr o't ti?'

'Ma' hi 'di bod yn aros dros awr amdanat ti, mêt,'

meddai Ron wrth dynnu cwpanau drwy'r dŵr yn y sinc. 'Lot mwy nag wyt ti'n haeddu os ti'n gofyn i fi.'

'Twt, ma'n nhw'n joio. Dou goffi a dou fisged.'

'Plîs,' meddai Ron.

'Un, dim dou,' meddwn i mewn llais crynedig. 'Wy 'di blino aros fan hyn.'

Fe rois i'r arian am fy nghoffi ar y cownter a mynd mas. Erbyn i fi gyrraedd y pafin roedd Tom wedi 'nal i.

'Hei! Beth sy'n bod? Aros! Help! Ma'r fenyw 'ma'n nyts!' meddai gan ddawnsio rownd i fi.

Fe ddaliais i gerdded 'mlaen yn glou. Fe ddechreuais feddwl 'mod i'n edrych yn hollol dwp, ac fe ddechreuais i lefen. Cydiodd Tom yn 'y mraich i.

'Sali, beth yn y byd sy'n bod? Dere 'ma a stopa lefen, y dwpsen.'

Fe ddechreuais lefen yn waeth, ac fe roddodd e'i freichiau amdana i. Rown i'n trio 'ngorau i stopo rhag gwneud iddo fe deimlo'n annifyr.

'O's hances 'da ti?' holais drwy fy nagrau.

'Na, adawes i 'mag yn y *Ladies*,' atebodd mewn llais bach dwl, ac fe ddechreuais chwerthin a llefen yr un pryd. Chwythais 'y nhrwyn yn galed mewn Kleenex oedd yn fy mhoced.

'Ma' golwg arna i o's e?'

'O's, dychrynllyd.'

Fe gerddon ni 'mlaen yn ddistaw ac yn araf, ac fe wasgais y Kleenex gwlyb yn fy nwrn. Rown i'n sylweddoli bod golwg ar fy wyneb felly fe gadwais i 'mhen i lawr nes i ni gyrraedd y parc ac eistedd ar y fainc gyntaf welon ni, nid ar yr un dan y goeden, ond un a wynebai'r cae ffwtbol llawn sbwriel.

'Reit 'te, beth sy'n bod?' holodd, gan ddechrau rowlio sigarét.

'Wy 'di colli'n job, a fe fues i'n aros yr holl amser amdanat ti amser cino ond ddest ti ddim. Wedyn goffod i fi ishte ar 'y mhen 'yn hunan yn caffi Ron â rhyw ddyn mowr tew yn neud mŵfs arna i. A thrw'r amser ma' Dad a'r fenyw 'na ar 'yn meddwl i . . .'

'Gwranda, paid â dechre mynd yn ddiflas. Es i i ga'l peint 'da Gary amser cino, reit? A fe gelon ni gwpwl o syniade da ymbytu'r Triumph, a mynd i dŷ'r boi 'ma i ga'l golwg arno fe.'

'Sori,' meddwn i'n ddiflas. Ac eto doeddwn i ddim yn siŵr pam ddylwn i ymddiheuro. Onid oedd hawl 'da *fi* i sôn am 'y nheimladau? Ai arna i roedd y bai nad oedd e wedi 'y nghyfarfod i yn y parc?

'Tr'eni am y job,' meddai. 'Yr hen bitsh â'r gwallt glas 'nath e ife? Do'dd hi ddim yn un o dy ffrindie gore o'dd hi?'

'Nag o'dd.' Tynnais ddrych bach o 'mag a dechrau sychu'r marciau duon oedd rownd fy llygaid. Eglurais wrtho fy mod i'n cael fy nghosbi am gyrraedd 'nôl yn hwyr ond nad oedd hynny'n deg gan taw awr union ges i mewn gwirionedd.

'Os ŷn nhw â'u cyllyll ynot ti fe ffindan nhw unrhyw esgus dan haul i ga'l dy wared di,' meddai Tom.

Wrth i fi roi mascara ar fy llygaid fe syllodd arna i ac fe feddyliais ei fod e'n mynd i gynnig y dylwn i gymryd job rhan-amser y tro nesa' er mwyn i ni fod yn rhydd i fynd i'r fflat amser cinio. Ond ddwedodd e ddim byd, ac rown i'n falch. Roedd y busnes o fynd i glinic oeraidd ac egluro wrth ryw ddieithryn 'mod i'n bwriadu cael cyfathrach rywiol wedi bod yn 'y mhoeni i ers amser. Erbyn hyn roedd e'n boendod go iawn. Roedd y peth mor bersonol, roedd hi'n anodd cyfaddef i fi'n hunan, heb sôn am neb arall, beth rown i'n bwriadu'i wneud. Rown i'n mynd i orfod dweud wrthyn nhw fod arna i isie cysgu gyda Tom, 'mod i'n bwriadu gwneud y peth yn deidi, mewn gwaed oer. Fe fyddai hi'n haws o lawer tasai'r peth yn digwydd yn ddisymwth, ryw noson wyllt, ramantus dan y lloer falle, yn hytrach na mewn fflat ddiflas ganol dydd golau. Falle bod Liz a finnau'n twyllo'n hunain y dylai'r tro cyntaf fod yn spesial. Falle nad fel'ny oedd hi mewn gwirionedd.

Sylwais ar gan o Coke wrth fy nhroed wrth stwffio pethau'n ôl i 'mag. Roedd e wedi'i blygu yn ei hanner, ac fe ddychmygais i'r nerth llaw oedd ei angen i wneud y fath beth. Roedd hi'n weithred fuddugoliaethus o ddinistriol. Arddangos eu nerth oedd yr unig beth pwysig i rai bechgyn, wrth daflu can o Goke.

Yr un oedd y stori ar gae ffwtbol. Haid o gryts bach croch yn ymosod ar ei gilydd, ac yn credu taw ennill sy'n bwysig. Y tu hwnt i'r cae roedd y coed yn byseddu'r awyr, a'r funud honno roedd eu prydferthwch dirodres yn cynnig cysur mawr i fi. Ond teimlwn ryw dristwch mawr hefyd. Doedd 'na fawr ddim ar ôl i gredu ynddo. Roeddech chi'n cael eich brifo jyst wrth drio byw gyda phobol eraill.

'Ti'n dawel,' meddai Tom.

Edrychais draw at y coed a'u dail melyngoch. Roedd hi'n dal yn gynnes ond roedd niwlen fach dros lesni'r awyr. Fyddai hi ddim yn haf yn hir.

'On'd yw hi'n drist?' meddwn i.

'Beth?'

'Popeth.'

Rown i wedi bod yn eistedd mor llonydd ar y fainc nes bod f'esgyrn yn teimlo fel tasen nhw'n llawn plwm. Roedd arna i ofn na fyddwn yn gallu symud llaw na throed am weddill 'y mywyd. Doeddwn i ddim hyd yn oed yn gallu symud fy llygaid.

'Ma' pethe fel wyt ti isie iddyn nhw fod,' meddai Tom.

Atebais i ddim. Roedd amlinell y coed yn y pellter yn rhy drist; roedd hagrwch y cae ffwtbol yn annioddefol.

'Beth 'newn ni heno 'te?' holodd e 'mhen tipyn.

Fe ges i ysfa i ddweud nad oeddwn i'n awyddus i wneud dim ond eistedd ar y fainc nes byddwn i'n ddim ond dwst. Trois fy mhen i edrych arno, ac yn sydyn, newidiodd popeth.

'Beth licet *ti* neud?'

'Y Plumbers? Alwon ni 'na ar y ffordd 'nôl o Landeilo, ti'n cofio? Wedodd Gary y bydde fe 'na heno.'

Tasai digon o ewyllys wedi bod 'da fi fe fyddwn i wedi dweud y byddai'n well 'da fi aros gartref ac edrych ar y bocs. Gwyddwn yn iawn beth ddigwyddai'r noson honno. Fe fyddai Tom a Gary'n trafod motor beics drwy'r nos. Roedd Liz yn y gwaith felly fyddai neb yn siarad 'da fi. Ond allwn i ddim aros gartref. Allwn i ddim dioddef wynebu Dad. Felly fe wenais a dweud 'Iawn. Grêt'. Tynnodd Tom ar ei sigarét cyn ei thaflu hi i lawr ar y borfa a damshgel arni.

Pan ddwedais wrth Liz fore dydd Sul 'mod i wedi colli'n job fe ddangosodd hi dipyn mwy o gydymdeimlad nag a wnaeth Tom.

'Damo nhw,' meddai, 'ond paid â becso, fe ffindi di rwbeth arall.'

Ysgydwais fy mhen yn ddiflas. Teimlwn yn isel iawn y bore hwnnw. Roedd y noson cynt wedi bod cynddrwg ag rown i wedi'i ofni. Nid yr un person oedd Tom â'r un y bues i yn ei gwmni nos Wener. Roedd e fel tasai'n fy ngwawdio i am 'mod i'n ei addoli e, ac yn fy mhryfocio'n ddidrugaredd o flaen Gary. Ymdrechwn 'y ngorau i gymryd y cyfan yn ysgafn, ond rown i mor ymwybodol y gallwn i ei golli e, rown i'n fodlon derbyn popeth. Fyddwn i wedi wfftio unrhyw un arall am ymddwyn fel'ny.

Sylweddolais yn ystod y noson nad oedd Tom wedi bwriadu gofyn i fi fynd mas 'da fe'r noson honno. Oni bai 'mod i wedi aros yr holl amser yn y caffi fydden ni ddim wedi gweld ein gilydd a byddai wedi cwrdd â Gary ar ei ben ei hunan. Unwaith eto llwyddais i wneud ffŵl o'n hunan wrth ddatgelu 'nheimladau i Tom.

'Ma' isie i ti styried un ne' ddou o bethe ymbytu Tom,' meddai Liz, a rhwbio gwlân cotwm mewn cudyn bach o wallt. Roedd hi wedi penderfynu arbrofi gyda *highlights*.

'Beth ti'n feddwl?'

'Wel ma' isie dysgu gwers fach iddo fe. Fydd e byth yn parchu unrhyw ferch nes gwrddith e ag un sy'n rhedeg o'i fla'n e yn lle ar 'i ôl e. O'dd e wedi gobeitho taw un fel'ny o't ti. Do'dd e ddim yn gwbod shwt un fach sofft wyt ti.'

'O'n i ddim yn gwbod 'yn hunan.'

'Wel dangos di iddo fe pwy yw'r bòs, 'merch i. Os eith e off 'da rhywun arall—fe fydde fe wedi neud beth bynnag. Hei, ma'r stwff 'ma'n gryf on'd yw e? Gobeitho a' i ddim yn foel yn y bla'n 'ma! Gyda llaw, shwt amser gest ti nos Wener?'

Fe lifodd nos Wener yn ôl fel ton anferth. Roeddwn i wedi bod mor llawn o helynt y job a'r noson ddiflas gyda Gary a Tom rown i wedi anghofio sôn wrth Liz am nos Wener.

'Druan â ti,' meddai pan glywodd hi'r stori i gyd. 'Ti 'di ca'l wthnos ofnadw on'd wyt ti? Ond falle bo' ti'n rong am y fenyw 'na. Falle taw trafod busnes o'n nhw. Ma' dynion yn lico bod yn boleit wrth fenywod dierth, yn enwedig rhai henffasiwn fel dy dad.'

Fyddwn i wedi bod wrth fy modd yn cytuno â hi. Cael meddwl am 'nhad fel Dad, nid fel bradwr a chelwyddgi roedd yn rhaid i fi'i osgoi. Teimlwn 'mod i wedi colli nabod arno fe. Ond doedd dim diben esgus. Rown i wedi gweld y ffordd yr edrychodd e ar y fenyw 'na, â'i wyneb yn llawn bywyd a diddordeb. Roedd e fel dyn ifanc, yn union fel llun ohono fe'i hunan flynydde'n ôl.

'Diolch i ti am drio,' meddwn i, 'ond dim trafod busnes o'n nhw. O na . . .'

'Ti 'di gweud wrtho fe bo' ti 'di colli dy job?'

'Wedes i wrth Mam. Fe ddechreuodd hi achwyn bo' fi'n hwyr yn cyrra'dd i swper ar ôl i fi fod yn aros am Tom yr holl amser 'na. O'n i 'di ca'l dwyrnod mor ofnadw fe ddechreues i lefen. Beth sy'n od yw 'i bod hi'n grac—dim 'da fi ond 'da'r siop. Do'n nhw ddim 'di rhoi cyfle i fi, wedodd hi, ond y bydden nhw'n hapus â rhyw lygoden fach fydde ddim yn gweud bŵ na be wrth neb. Ma' hi'n gomic ti'n gwbod. Ma' hi'n credu'i bod hi gymint gwell na phawb arall. Ma' hi isie i fi fod yn spesial, ond allith hi ddim diodde i fi fod yn wahanol i bobol erill. Alla i ddim ennill.'

'Wel o leia cha'th hi ddim ffit. Beth am dy dad? Wedest ti 'tho fe?'

'Naddo, wy 'di bod yn cadw mas o'i ffordd e. Alla i ddim diodde edrych arno fe.'

'O dere mla'n.'

Crychodd ei thalcen a byseddu'i gwallt o flaen y drych.

'Ti'n credu bo' nhw'n ddigon gole?' gofynnodd.

A dweud y gwir doedd dim llawer o ddiddordeb 'da fi yn ei *highlights* hi.

'Ddangosan nhw ddim os nag ŷn nhw jyst yn wyn,' meddwn i. 'A ta beth, paid ti â dechre pregethu. Shwt licet ti tase fe'n dad i *ti*?'

Difarais ar unwaith 'mod i wedi agor 'y ngheg.

''Na beth fydde cyd-ddigwyddiad ontefe?' meddai.

'Sori,' meddwn i. 'O'dd e'n beth dwl i weud.'

'O sdim ots 'da fi. Os nag yw e 'da ti, ti ddim yn 'i golli e. Ond gwranda,' meddai, gan droi tuag ata i, 'ma'n rhaid i ni drafod busnes y gwylie 'ma.'

Teimlwn ei bod hi'n fy ngwthio i ddod i benderfyniad. Syniad bach neis oedd y gwyliau ond fyddai hi ddim yn hawdd troi'r syniad yn realiti.

'Beth ti isie gwbod?' holais.

'Lot o bethe,' atebodd yn ofalus. 'Ma' 'na dair wthnos 'ddar i ni drafod y peth am y tro cynta. Os wyt ti'n mynd 'nôl i'r wheched fydd raid i ni fynd yr wthnos ar ôl nesa ne' fe fydd hi'n ddechre tymor cyn i ni droi.'

'Tasen i'n mynd i Saundersfoot 'da nhw fydden i'n colli pedwar dwyrnod o ysgol.'

'Dim 'na'r pwynt. Beth sy'n bwysig yw—wyt ti'n siŵr bo' ti isie dod? Fydd digon o arian 'da ti? Wyt ti 'di sôn wrth dy fam a dy dad? A wyt ti'n hapus i adael Tom?'

Un ateb oedd 'na i'r holl gwestiynau 'ma sef na. Ond fe oedais cyn ateb.

'O's raid i ti ga'l gwbod nawr?'

'Wel, o's a gweud y gwir. Ti'n gweld ma' Gary'n ca'l pythefnos o wylie mis Medi, a ma'i wha'r e'n *au pair* yn Sweden. Jen, ti'n 'i chofio hi, fe adawodd hi pan o'n ni yn dosbarth tri.'

'Nagw.'

'Wel ma' hi'n gweud bo' croeso i Gary a fi fynd i aros 'da hi os ŷn ni isie.'

'O, 'na ni 'te.'

'Dim o gwbwl. Os odyn ni'n dwy'n mynd, sdim problem. Ma' pythefnos o wylie'n dod i fi a ma' Mr Mandel yn gweud y galla i 'u cymryd nhw unrhyw bryd ar ôl wthnos nesa achos 'na pryd ma'r *pastry chef* yn dod 'nôl. Ond fydden i ddim isie gweud "na" wrth Gary a wedyn bo ti'n gweud bo' ti ddim yn dod.'

Rown i'n deall yn iawn, ac rown i wedi bod yn disgwyl y peth. Gofynnais iddi wythnosau'n ôl a oedd hi'n bwriadu mynd ar wyliau gyda Gary ac roedd hi wedi dweud nad oedd hi. Roedd hynny'n siŵr o fod yn eithaf gwir ar y pryd. Fe drawodd rhywbeth fi'n sydyn.

'Liz, os wyt ti'n mynd bant 'da Gary, fyddi di'n . . .'

Doedd dim angen i fi orffen gofyn y cwestiwn gan fod Liz yn nodio'i phen yn hamddenol.

'Wrth gwrs y bydda i.'

Mor syml â hynny. Roedden ni'n dwy'n dawel am dipyn.

'Sdim raid i ti edrych fel 'na,' meddai Liz. 'O'dd e'n siŵr o ddigwydd rywbryd.'

Ar ôl saib hir fe ofynnais i, 'O'dd e'n spesial?'

Ochneidiodd ac edrych draw at y ffenest, cyn troi'n ôl ata i a gwenu'n drist.

'Dim fel'ny ma'i o gwbwl. Ti jyst yn 'i neud e, 'na i gyd.'

'Wrth gwrs,' atebais yn dawel. Teimlwn mas o bethau, fel taswn i wedi cael 'y ngadael ar ôl. Cerddais draw at y ffenest ac edrych mas ar y lawnt daclus. Mae'n rhaid bod Dad wedi'i thorri hi ddoe pan o'n i'n gweithio. Rown i'n falch nad oedd e mas 'na nawr yn cerdded lan a lawr y tu ôl i'r mashîn. Yn falch, falch . . . Cronnodd y dagrau yn fy llygaid.

Daeth Liz i sefyll wrth f'ochr i ac edrych mas. Doedden ni byth yn cyffwrdd yn ein gilydd.

'Paid ypseto dy hunan,' meddai. 'Dyw e ddim yn neud unrhyw wahanieth, wir. Yr un un odw i o hyd.'

Wrth i fi ysgwyd 'y mhen fe lifodd y dagrau.

Rown i'n grac â fi'n hunan am ymddwyn mor ddwl â Mam. Stwffiodd Liz Kleenex i'm llaw i.

'Wy'n deall shwt wyt ti'n teimlo,' meddai. 'Dyw pethe byth fel wyt ti'n disgwyl iddyn nhw fod.'

'Ambell waith ma'n nhw'n grêt,' meddwn, gan drio rheoli'r dagrau. 'Ond ambell waith ma' beth ŷch chi wedi bod yn breuddwydio amdano fe am amser hir fel tase fe'n marw.'

''Na pam ma' hi'n haws peidio â breuddwydio o gwbwl.'

Ar ôl cyfnod hir o ddistawrwydd fe roeson ni'r hen record i fynd ac eistedd gyda'n gilydd yn gwrando ar y llais clir yn canu flynydde maith yn ôl. Doedd 'da fi ddim syniad beth oedd breuddwydion Liz nawr.

'Fydda i ddim yn dod 'da ti ar wylie,' meddwn, wrth i'r gân orffen.

'Ti'n siŵr?'

'Odw. Yn hollol siŵr.'

Fe rois i ryw tango bach bywiog o'r enw 'Jealousy' 'mlaen. Doedd arna i ddim isie trafod y peth dim mwy.

Yn y prynhawn fe ffônodd Tom i ofyn a oedd arna i isie mynd i barti'r noson honno.

'Parti pwy?' holais.

'O rhyw foi wy'n nabod.'

Wrth gwrs fe gytunais ar unwaith ac fe addawodd e ddod i'm nôl i am wyth.

Roedd cinio dydd Sul a the bach yn y prynhawn yn ddefod yn tŷ ni. Roedden ni'n bwyta o flaen y drysau agored a arweiniai i'r ardd. Doedd 'na fawr ddim i'w weld ynddi ond ychydig o dahlias cynnar wrth y ffens. Llifai'r haul dros y carped.

'Glywes i am y job,' meddai Dad. 'Tr'eni.'

'Ie.' Rown i wedi llwyddo i'w osgoi e tan hynny.

'O's pwynt i ti ddechre whilo am rwbeth arall nawr?' meddai. 'Fyddwn ni'n mynd bant ar 'yn gwylie cyn hir a wedyn fyddi di'n mynd 'nôl i'r ysgol.'

Hwn oedd y cyfle rown i wedi bod yn aros amdano i sôn am 'y mwriad i fynd ar wyliau gyda Liz. Eironi bach arall meddyliais. Ond fyddai 'na bythefnos o wyliau'n weddill ar ôl i fi adael y siop hyd yn oed taswn i'n aros 'na tan y diwedd.

'Licen i ga'l rhwbeth arall. Ma' fe'n brofiad da.'

Doeddwn i ddim yn awyddus iawn i drafod dim 'dag e.

'Ti'n iawn,' cytunodd, gan edrych ar Mam i weld beth fyddai'i hymateb hi.

Ond roedd hi'n bwyta scon ac yn edrych yn freuddwydiol mas ar yr ardd. Doedd 'da fi ddim syniad beth oedd yn mynd drwy'i meddwl hi. Mam a Liz—doeddwn i ddim wedi gallu cyrraedd yr un o'r ddwy'r diwrnod hwnnw. Roedd e'n ddiwrnod unig iawn.

Roedd y parti mewn bloc o fflatiau ar y stad tai cyngor lle'r oedd Tom yn byw. Fe ddringon ni i'r trydydd llawr a cherddded i gyfeiriad sŵn miwsig a chwerthin uchel.

'Blydi hwligans,' meddai rhyw ddyn bach mewn oed a ddaeth i'n cyfarfod ni.

'Hwligan o'ch chithe unweth siŵr o fod, Ta'-cu!' meddai Tom. '*Jealous* ŷch chi ontefe!'

'Hy!' ebychodd y dyn, a cherdded 'mlaen. Doedd neb call yn dadlau gyda boi mawr mewn cot ledr.

Doedd 'na neb rown i'n ei nabod yn y parti. Roedd y fflat ar ddau lawr ac roedd hi'n amlwg fod y parti yn ei anterth yn y stafell fyw ar y llawr ucha. Y peth cyntaf a welais wrth gerdded i mewn oedd rhyw foi â *fez* goch ar ei ben yn ysgwyd potel o gwrw'n egnïol. Trodd y botel at y wal ac agor y top, yna chwerthin wrth i'r cwrw saethu mas a llifo'n afon frown i lawr y papur wal. Cymerodd Tom y botel o'i law'n hamddenol a gwthio'r boi'n ôl nes ei fod yn syrthio ar gadair freichiau. Er mawr syndod i fi ddwedodd y boi ddim byd, dim ond gwenu'n ddiniwed.

'Beth licet ti i yfed?' holodd Tom.

'Unrhyw beth,' atebais lwr' 'y mhen.

Roedd y dyddiau diwetha wedi bod mor uffernol rown i'n barod ar gyfer parti gwyllt. Roedd arna i isie anghofio'r cyfan a mwynhau'n hunan. Ond fyddwn i wedi bod yn falch tasai 'na rywun rown i'n nabod yno.

Trowsus llydan piws a thop o liw arian oedd amdana i. Fe lygadodd rhyw foi mewn *string-vest* fi a dweud, 'Neis. Ti isie drinc?' a chynnig ei botel win i fi.

'Dim diolch, ma' rhywun yn dod ag un i fi nawr.'

'Gei di un nes 'mla'n 'te,' meddai wedyn. Mae'n siŵr taw ei barti e oedd e, ond allwn i ddim bod yn siŵr.

Cyrhaeddodd Tom o rywle â gwydraid o rywbeth tebyg i sudd beetroot yn ei law.

'*Rum and black*,' meddai. 'Iechyd da.'

Roedd blas eithaf neis arno fe, yn gryf ac yn felys. Roedd e'n f'atgoffa i o Ribena.

'Fydda i'n ôl nawr,' meddai Tom. 'Wy isie gair â un ne' ddou.'

Diflannodd i ganol crowd o bobol a sefais innau'n sipian y *rum and black* gan drio magu digon o blwc i fynd i siarad â rhywun. Daeth dau fachgen ata i a gofyn pwy oeddwn. Roedden nhw'n eithaf golygus, er bod un â'r llythrennau L.O.V.E. mewn tattoo ar gefnau'i fysedd. Es i gyda nhw i'r gegin i chwilio am fwy o ddiod. Roedd y *rum and black* wedi diflannu'n sydyn. Doedd 'na ddim sôn am botel rum yng nghanol y myrdd poteli felly fe berswadon nhw fi i gael Martini sych yn lle hynny, ac i lenwi 'ngwydryn i'r top tra bod 'na ddigonedd i gael. Roedd 'na grisps a bisgedi a chaws ym mhobman ond fawr iawn o fwyd sylweddol. Amser cinio yng nghwmni Dad doeddwn i ddim wedi bwyta rhyw lawer. Yn hytrach na'r cig oen oedd ar 'y mhlat i gwelwn *lasagne* nos Wener, ac fe ddechreuais deimlo'n dost. Doeddwn i ddim wedi bwyta amser te chwaith ac erbyn hyn rown i ar 'y nghythlwng.

Dechreuodd y bechgyn, Kevin a Martin, holi a oedd cwmni 'da fi, hynny yw, a oedd 'ffrind' 'da fi, a dwedais 'mod i wedi dod gyda Tom Jenkins. Dyna pryd y dechreuais i feddwl ble oedd e. Doedd dim sôn amdano fe felly fe arllwysais i fwy o Fartini i 'ngwydryn gan fwriadu mynd i chwilio amdano.

'Dere i fi roi cic fach yn hwnna i ti,' meddai Kevin, gan arllwys tipyn bach go lew o *gin* ar ben y Martini.

'Pam lai?' meddwn i. 'Iechyd da, wela i chi!'

A bant â fi i chwilio am Tom.

Stafelloedd gwely oedd gweddill y llawr dop, ar wahân i'r stafell 'molchi. Doedd 'na ddim sôn am Tom. Mentrais i lawr i'r llawr cyntaf a fan'ny roedd e, mewn stafell wedi'i dodrefnu fel *bed-sit*, yn gorwedd ar ei hyd ar glustog fawr ar y llawr, yn rowlio sigarét. Roedd 'na ferch wallt tywyll mewn ffrog gotwm Indiaidd yn gorwedd yn ei ymyl â'i phen ar ei ysgwydd. Roedd hi'n amlwg eu bod nhw'n nabod ei gilydd yn dda. Sylwon nhw ddim arna i ac fe symudais o'r drws ar unwaith rhag iddyn nhw 'ngweld i'n pipo arnyn nhw.

Roeddwn i'n hollol benderfynol nad o'n i'n mynd i lefen. Dim o flaen yr holl bobol 'ma. Roedd 'y nwylo i fel iâ. Roeddwn i'n casáu menywod gwallt tywyll. Penderfynais fynd 'nôl i'r gegin i chwilio am fwy o ddiod. Roedd 'na lot o boteli gwag 'na erbyn hyn a doedd 'na fawr o ddewis ond gwin coch neu gwrw. Fe ddewisais i'r gwin. Roedd 'na ychydig o gnau ar ôl ar waelod bowlen fach ar y ford ac fe fwytais i nhw i gyd.

'Sdim lot o fwyd 'ma o's e?' meddai rhyw ferch â gwallt speics. 'Wy'n lico lot o fwyd mewn parti.' Ac fe ddiflannodd hi i rywle.

Erbyn hyn roedd Martin a Kevin wedi cael gafael ar ferch mewn shorts Bermuda pinc ac fe gynigion nhw 'mod i'n mynd 'mlaen i rywle arall gyda nhw. Ond gwrthodais. Fyddwn i wedi lico mynd a gadael y cachgi celwyddog Tom i chwilio amdana i ar ddiwedd y noson. Ond doeddwn i ddim yn awyddus i dreulio gweddill y noson yng nghwmni Kevin neu Martin. Pam o'n i'n dal i feddwl y byd o Tom? Pam na allwn i fwynhau'r parti yn hytrach na theimlo mor ddiflas ac mor unig?

'Ti ddim yn ca'l lot o sbort wyt ti?' meddai Kevin yn garedig. Roedd e'n gwisgo cot fawr lwyd erbyn hyn a thynnodd botel fach o whisgi o'i boced.

'Fe neith hwn fyd o les i ti,' meddai, ac arllwysodd beth

ohoni ar ben y gwin coch. 'Wela i di. Fyddwn ni'n ôl nes 'mla'n siŵr o fod.'

Ac fe ddiflannodd y tri drwy'r drws.

Sylweddolwn yn iawn na ddylwn i fod yn yfed whisgi gyda gwin coch, yn enwedig ar ben *rum*, Martini a *gin*. Ond beth oedd yr ots? Os oedd Tom yn rhydd i wneud beth lice fe, rown innau hefyd. Fe fwytais i grispen neu ddwy, ac yfed peth o'r gwenwyn, gan sylwi nad oedd fawr o flas ar ddim erbyn hyn. Rown i'n sychedig iawn, felly fe yfais i fwy. Pwy oedd e'n feddwl oedd e? Roedd Liz yn llygad ei lle. Roedd hi'n hen bryd dysgu gwers iddo fe.

Fe es i i chwilio amdano fe. Doedd dim sôn amdano yn y stafell ar lawr, felly fe grwydrais rownd o stafell i stafell. Roedd 'na un drws ynghlo—rhywun isie diogelu'i stafell rhag y giwed feddw siŵr o fod. Allai Tom fod wedi gadael hebdda i? Teimlais don o banic a gofynnais i'r boi yn y *string-vest* a oedd e wedi'i weld e.

'Ma' fe ymbytu'r lle'n rhywle,' atebodd. 'Yn y tŷ-bach siŵr o fod. O's drinc 'da ti?'

'O's diolch,' meddwn i'n ysgafn. Fe lenwodd e 'ngwydryn hanner gwag â gwin gwyn. Pam lai?

Y tŷ-bach. Doeddwn i ddim wedi meddwl am y tŷ-bach.

'Ma' dou 'ma,' gwaeddodd y boi arna i. 'Un lan a un lawr.'

'Diolch!' gwaeddais i'n ôl. Rown i'n cael trafferth i droi 'mhen.

Doedd 'na neb yn yr un lan. Crwydrais i lawr at y llall ond roedd y drws ynghau. Penderfynais sefyll 'na i weld pwy ddôi mas. Mae'n rhaid taw Tom oedd 'na os nad oedd e wedi gadael. Neu—ai fe a oedd y tu ôl i'r drws clo? Na. Ond roedd rhywun wedi cloi hwnnw rhag i bobol fynd i mewn a rhacso pethau.

Daeth merch mewn ffrog goch a sbotiau gwyn mas o'r tŷ-bach, a dal y drws ar agor i fi.

'Sori,' meddai, 'o'ch chi'n aros?'

Fe es i i mewn a sefyll yno'n syllu ar y toilet gwyn. Sylweddolais yn sydyn 'mod i wedi meddwi. Pan gaewn i'n llygaid roedd popeth yn mynd rownd a rownd. Rhaid cadw fy llygaid ar agor. Rhaid mynd mas. Claustrophobia, 'na dy drafferth di 'merch i, meddwn wrthyf fy hunan. Dyna pam rown i'n teimlo'n dost.

Agorais y drws a gweld y boi yn y *fez* coch yn sefyll tu fas.

'Claustro-phobia,' dwedais yn ofalus. Doedd e ddim yn air hawdd i'w ddweud.

'Cer o 'ma,' meddai'n ffug boleit, gan ddechrau agor ei gopis. Wedyn fe gaeodd e'r drws y tu ôl iddo.

Roeddwn i'n dal yn sychedig iawn. Llyncais beth bynnag oedd yn weddill yn fy ngwydryn ond doedd e ddim yn torri'r syched. Ble oedd Tom? Lan lofft. Popeth yn symud. Fel llong. Y staer yn symud, y fflat yn symud, y bloc cyfan yn symud. Ond roeddwn i'n forwr bach eithaf da, chwarae teg.

Ar dop y staer, y drws clo.

Fe agorodd e. Tom. Y ferch wallt tywyll tu ôl iddo, yn gafael yn ei fraich, yn gwenu arno fe. Fel y fenyw oedd gyda Dad. Fe welodd Tom fi, a diflannodd ei wên.

'Shw' ma'i? Ti'n joio?' gofynnodd.

Ond roedd ei wyneb yn dweud y cyfan. Roedd e'n teimlo'n euog.

Cofiaf drio dweud 'mod i'n forwr bach da. Roedd popeth yn mynd rownd a rownd.

'Ma' 'da ti ffrindie bach od, on'd o's e?' meddai'r ferch wrth Tom.

Fe es i amdani, nes bod y gwallt tywyll yn fy wyneb, a'r wên fach ffug o dan f'ewinedd. Roedd 'na ddwylo'n trio fy llusgo i oddi arni. Roedd 'na sgrechen a gweiddi. Roedd y nenfwd lle dylai'r wal fod. Roedd rhywun yn fy nghario i. Roedd popeth yn mynd rownd a rownd. Rown i'n gorwedd yn rhywle. Mewn gwely. Wyneb Tom oedd o 'mlaen i.

'Olreit nawr, paid â ypseto dy hunan,' meddai.

Fe driais i ddweud, 'Wy'n joio mas draw,' ond yn sydyn fe deimlais i'n oer ac roedd 'na rywbeth yn codi yn fy ngwddw i.

'Dost,' meddwn ac fe dynnodd e fi ar 'y nhraed.

Gwasgais fy llaw dros 'y ngheg ond roedd hi'n rhy hwyr.

'I'r sinc,' meddai rhywun ac fe chwydais i sinc oedd yn llawn o lestri brwnt a dŵr seimllyd.

Does dim llawer o gof 'da fi beth ddigwyddodd wedyn. Mae'n rhaid 'mod i wedi cysgu. Wedyn rown i'n gorwedd ar sedd gefn rhyw gar yn gofyn a gofyn ble oedd Tom. Doedd dim syniad 'da fi pwy arall oedd yn y car ond cyn hir fe deimlais y car yn aros ac fe agorodd rhywun y drws. Sylweddolais 'mod i'n sefyll wrth ddrws ffrynt ein tŷ ni ac roedd rhywun yn canu'r gloch ac yn cnocio. Triais ddweud wrthyn nhw am fynd rownd y cefn ond doedden nhw ddim yn gwrando. Wedyn fe agorodd y drws a gwelais Mam yn sefyll o 'mlaen i.

'O Sara!'

Roedd 'na leisiau'n gweiddi lawr yn y stafell fyw. Roedd y gwely'n oer. Fe rois i'n llaw ar ymyl y gwely i drio stopio'r ysgwyd. Ond roedd popeth yn dal i fynd rownd a rownd.

10

Pan ddihunais drannoeth roeddwn i'n teimlo'n annioddefol o dost. Pan driais agor fy llygaid fe saethodd 'na boen drwyddyn nhw ac roedd 'na ordd yn taro y tu mewn i 'mhen. Damo, meddyliais, mae'n rhaid i fi fynd i'r gwaith. Fe driais eistedd ond roedd y stafell yn troi. Gorweddais eto a thynnu'r dillad dros 'y mhen. Roedd pethau 'chydig bach yn well yn y tywyllwch.

'Sara,' meddai rhywun.

Ymdrechais i ddihuno unwaith eto. Mam oedd yn sefyll wrth y gwely.

'Faint o'r gloch yw hi?' holais. Roedd hi'n anodd iawn siarad â'ch ceg yn sych grimp.

'Cwarter wedi un.'

'O na . . .' Fyddai Mr Biggs yn credu 'mod i wedi gadael.

'Sdim ots am y gwaith,' meddai Mam. 'Gan bo' ti wedi ca'l y sac ta beth.'

Doeddwn i ddim wedi sôn wrthi 'mod i fod gwneud wythnos arall.

'Beth yn y byd fuest ti'n neud neithwr?' gofynnodd. 'Dere, 'ma ddishgled o de i ti.'

Pan godais ar f'eistedd fe saethodd y boen drwy 'mhen i unwaith eto. Doeddwn i ddim yn siŵr a allwn i yfed y te.

'Pwy o'dd y bobol 'na dda'th â ti adre neithwr?'

'Dim syniad,' atebais. Rown i jyst â thagu isie rhywbeth i'w yfed, ond rown i'n dal i deimlo'n dost.

Ochneidiodd Mam yn ddwfn.

'Wel,' meddai, 'ma' pawb yn goffod dysgu siŵr o fod. Ond wyt ti 'di bod yn ddwl iawn. Dyw hi ddim fel taset ti erioed wedi yfed dim o'r bla'n. Ŷn ni wedi gadel i ti ga'l gwydred o win amser bwyd a diferyn bach o sherry bob hyn a hyn . . .'

'Plîs,' meddwn i, 'peidwch â siarad am alcohol.'

Llyncais lond ceg o de.

'Beth gododd ar Tom i adael i ti yfed shwt gymint?' holodd Mam wedyn. 'Falle'i fod e 'bach yn fyrbwyll. Ond ma' fe'n grwtyn bach eitha neis yn y bôn.'

O, chi'n hollol rong meddyliais yn ddiflas. Crwtyn bach creulon iawn yw e yn y bôn. Ac fel taswn i'n edrych ar dâp fideo fe welais i fe'n dod mas o'r stafell wely gyda'r ferch wallt tywyll. Dechreuodd y te gorddi yn 'y mol i. Edrychodd Mam arna i a dweud, 'A' i i nôl bowlen i ti.' Ond roedd hi'n rhy hwyr. Rhuthrais i'r tŷ-bach a dechrau cyfogi. Ond doedd 'na ddim ar ôl yn 'y mol i, dim ond gwacter sur a phoen enbyd. Addewais i yn y fan a'r lle na fyddwn i'n cyffwrdd ag alcohol byth eto.

Drannoeth teimlwn fel taswn i newydd gael dos o ffliw. Roeddwn i'n hwyr yn codi ac fe ddwedodd Mam ei bod hi'n paratoi wy ar dost. Er 'mod i'n gwynegu drosta i i gyd, rown i'n barod am fwyd.

Dros ginio fe ymddiheurais i.

'Ma'n ddrwg 'da fi am beth ddigwyddodd. Yfes i ddim lot fowr, dim ond cymysgu pethe'n ddwl.'

'Dwl iawn,' meddai, a chynnig darn arall o dost i fi.

Roeddwn wrth 'y modd yn cael cinio gyda hi fel hyn. Teimlwn yn glyd ac yn saff er y gwyddwn i'n iawn na fyddai arna i isie'i wneud e'n aml.

'Ma' pawb yn meddwi rywbryd,' meddai. 'Wy'n cofio mynd i ryw dderbyniad crand unweth. O'n i'n becso gymint am y peth fe yfes i dipyn o sherry cyn mynd. Wedyn fe alwon ni yn rhwle am *cocktails* ac erbyn i fi gyrraedd y lle 'ma o'n i'n hapus reit. Fel o'n i'n cerdded lan i gwrdd â'r bobol bwysig o'dd yn cynnal y peth, fe ddales i 'nhroed yn y carped a chwmpo'n fflat ar lawr. Allen i fod wedi marw, o'dd cymint o g'wilydd arna i.'

'Gyda Dad o'ch chi?'

'O na, cyn i fi gwrdd ag e.'

Roedd 'na olwg bell yn ei llygaid wrth iddi gofio'n ôl. Yn sydyn teimlais ryw chwilfrydedd ynglŷn â'm rhieni. Rown i'n eu nabod nhw'n dda—roedden nhw mor gyfarwydd i fi ag oedd y papur wal yn fy stafell. Ond fel oedolion, fel pobol, do'n i ddim yn eu nabod nhw o gwbwl.

'Mam,' meddwn i, gan deimlo fel llawfeddyg â scalpel yn ei law, 'odych chi'n credu'i bod hi'n bwysig bo' pobol yn ffyddlon i'w gilydd?'

Gallwn weld ei bod hi'n ystyried y mater yn ddwys. Roedd hi wrth ei bodd 'mod i'n awyddus i drafod pwnc mor sensitif gyda hi.

'Ma' pethe mor wahanol y dyddie hyn,' meddai. 'Dyw pobol ifanc heddi ddim yn addo pethe i'w gilydd fel o'n ni. Oni bai 'u bod nhw'n hollol siŵr o'i gilydd wrth gwrs.'

Edrychodd arna i cyn dweud y frawddeg nesa'n addfwyn iawn.

'Ma' rhywun yn siŵr o ga'l dolur os odyn nhw'n disgwyl gormod.'

'Ond beth am wŷr a gwragedd?' holais. 'Ody'r ffaith bo' rhywun yn briod yn gneud gwahanieth?'

'Wrth gwrs 'i fod e! Os wyt ti isie priodi bachgen ma'n rhaid i ti fod yn hollol siŵr ohono fe on'd o's e? Gan bwyll ma' penderfynu rhwbeth fel 'na, ti'n gwbod.'

'Sdim isie i chi fecso dim. Dyw'r peth ddim wedi croesi'n meddwl i. Ond tase fe—ody addewidion priodasol yn bwysig?'

'Odyn—neu do's 'na ddim pwynt.'

Triais ofyn y cwestiwn nesa'n hollol hamddenol.

'Tase Dad yn ca'l affêr gyda rhywun arall, beth nelech chi?'

'Dyw e ddim,' meddai. 'Felly sdim raid i fi feddwl am y peth, diolch i Dduw.'

'Ie, ond tase fe.'

Roedd y scalpel ddychmygol yn torri i mewn i'r cnawd. Fe edrychodd arna i'n hir.

'Sdim syniad 'da fi beth wyt ti'n drio'i neud. Jyst achos fod 'i waith e'n 'i gadw fe mas ambell noson bob hyn a hyn, sdim rheswm i ti ddechre dychmygu pethe.'

'Dim ond holi odw i.'

Roedd y ffordd y llwyddodd i osgoi ateb yn fy ngyrru i holi mwy a mwy. Roedd rhywbeth mor ddiniwed yn ei chylch hi.

'O'n i jyst yn trio dychmygu beth nelech chi tasech chi'n ffindo mas, 'na i gyd.'

Teimlwn gywilydd wrth feddwl beth rown i'n ei wneud ond allwn i ddim f'atal fy hunan.

''Sen i *yn* ffindo mas,' meddai ar ôl tipyn, 'fe fydden i'n teimlo bo' fi wedi ca'l 'y mradychu. Fe alle 'mywyd i fod wedi bod yn hollol wahanol tasen i heb briodi pan 'nes i. Wy'n sylweddoli na alli di fesur beth *na* ddigwyddodd yn erbyn beth *'na'th* ddigwydd, achos dyw pethe ddim yn gweitho fel'ny. Ond, a meddwl beth alle fod wedi digwydd, y potensial y penderfynes i 'i dowlu e bant, tasen i'n sylweddoli nad oedd e'n ffyddlon i fi, fe fydden i'n teimlo bo' popeth wedi bod yn ofer.'

'Yn wastraff.'

'Ie, yn gwmws. Ond,' ac fe oleuodd ei hwyneb i gyd, 'dim fel'ny ma' pethe ife? Diolch byth.'

'Wrth gwrs.'

Allwn i ddim dioddef edrych i'w llygaid hi. A theimlais y cwlwm o ddicter at 'y nhad yn tynhau eto.

Drannoeth fe fues i'n chwilio drwy'r dydd am job arall. Ond dim lwc. Doedd 'na ddim cardiau yn ffenestri'r siopau a doedd gan y fenyw yn y *Job Centre* ddim hyd yn oed unrhyw gyngor i'w gynnig i fi. Doedd dim amdani ond crwydro rownd a thrio lladd amser gorau gallwn i. Prynais liw gwallt newydd, un mwy piws, a sylweddoli'n sydyn y byddwn i'n ôl yn yr ysgol ymhen pythefnos a 'ngwallt i'r un lliw â llygoden unwaith eto. Allwn i byth â mynd 'nôl.

Fe es i i'r parc ac eistedd ar fainc Tom a finnau. Fyddwn i'n ei weld e eto? Doedd e ddim wedi cysylltu oddi ar noson y parti. Rown i wedi bod yn dychmygu'r sgwrs rhyngddo a'r ferch wallt tywyll. Byddai siŵr o fod wedi dweud wrthi nad oedd arno fe isie cael ei glymu gan un person. 'Ma'r byd yn lle mowr ti'n gwbod,' oedd ei eiriau fe'r prynhawn hwnnw yn Llandeilo. Mae e'n lle mawr i finnau hefyd, ac i bawb arall, meddyliais. Alli di ddim defnyddio hynny fel esgus, Tom. A beth bynnag, pwy sy'n dy ddeall di cystal ag ydw i? Wyt ti'n trio twyllo pawb gyda rhyw actio dwl a chot ledr a thafod ffraeth. Pwy, heblaw fi, sy'n sylweddoli taw person sensitif, ansicr wyt ti yn y bôn?

Roedd y gwynt wedi codi gan chwythu'r dail crin dros y borfa. Eisteddais yno am ddwyawr. Ond ddaeth Tom ddim.

Am chwarter i dri fe godais a mynd i'r caffi lle'r oedd Liz yn gweithio. Es i rownd at ddrws y cefn, a oedd bob amser ar agor oherwydd y gwres llethol, a phipo i mewn.

'Ody Liz 'ma?' gofynnais i ryw ddyn mewn cap *chef*.

Trodd ei ben a chwibanu drwy'i ddannedd a gweiddi, 'Ma' rhywun isie dy weld di. Paid bod yn hir.'

Daeth Liz at y drws a dweud, 'Shw' ma'i. Wrth gwrs, ma' hi'n hanner dwyrnod heddi on'd yw hi. O'n i wedi anghofio.'

'Ma' hi'n hanner dwyrnod arna i bob dydd nawr,' meddwn i'n ddiflas a dechrau dweud hanes y parti. Ond fe dorrodd ar 'y nhraws ac ymddiheuro.

'Gwranda, sori, ma' hi'n fishi ofnadw 'ma. Ma'r crowd rhyfedda'n dod 'ma heno, a ma' stwff 'da fi yn y *mixer*. Ffona i di heno, iawn?'

'Iawn,' meddwn i, a mynd o 'na'n llawn cenfigen a hunan-dosturi. Doedd 'na ddim byd yn fy *mixer* i, meddyliais. Dim byd yn unman. Dim ond gwacter.

Ar ôl mynd adref llwyddais i orffen y crys rown i'n ei wneud i Tom. Roeddwn wedi cael hwyl arni, a gwyddwn y byddai'n edrych yn smart iawn. Ond a fyddai fe byth yn ei wisgo? Fe rois i fe i hongian yn fy nghwpwrdd dillad a chau'r drws. Os oedd arno fe isie'i grys, byddai'n rhaid iddo fe ddod i'w nôl e.

Rown i'n rhoi llestri swper ar y ford pan gyrhaeddodd Dad, â golwg blêsd iawn ar ei wyneb. Doedd arna i ddim isie bod yn ei gwmni e ond doedd hi ddim yn hawdd iawn dianc.

'Falle bo' fi wedi ffindo job i ti,' meddai. 'Cyfle bach da i ti.'

'O ie,' atebais, mor oeraidd ag y gallwn, ac rown i'n falch ei weld e'n crychu'i dalcen am eiliad.

'Boi o'r enw Jack Evans,' meddai. 'O'n i ddim wedi'i weld e ers blynydde.'

'Jack?' holodd Mam. 'Beth yw 'i hanes e erbyn hyn? Yn Llanelli o'dd e'r tro dwetha weles i fe—a Meira, ontefe?'

'Ie. Ma'n nhw'n dal 'na. Ma'i fab e wedi dod ato fe i'r cwmni nawr. Ma'r busnes yn un eitha mowr erbyn hyn.'

Fe drodd e i siarad â fi.

'Neud dillad ma'n nhw. Ddoth e ata i bore 'ma i drafod benthyca arian ar gyfer ehangu'r lle. Fe ddechreuodd e sôn 'i fod e'n whilo am ferch ifanc sy â diddordeb mewn neud dillad a sy'n fo'lon gweitho'n galed. Wel, ti ddoth i'n meddwl yn strêt. O'dd 'da fe ddiddordeb mowr ynot ti pan sonies i amdanat ti. Wedes i bo' ti'n mynd 'nôl i'r ysgol, ond ma' fe'n fo'lon rhoi cyfle i ti er mwyn gweld beth alli di neud. O's diddordeb 'da ti?'

Diddordeb! Dyma'r cyfle rown i wedi bod yn breuddwydio amdano. Penderfynais y funud honno 'mod i'n mynd i anghofio'r cyfan am yr ysgol.

'Man a man i fi drio ontefe,' meddwn i'n hamddenol. 'Ble ma'r boi 'ma'n byw?'

'Fe ges i 'i gyfeiriad 'da fe. Ma'n nhw newydd ga'l cynnig gwaith 'da rhyw gwmni *mail order*—ma' 'na barch mowr at 'u gwaith nhw ma'n debyg.'

Rhoddodd ddarn o bapur i fi a'r enw a'r cyfeiriad wedi'i sgrifennu arno yn ei ysgrifen traed brain.

'Diolch,' meddwn i. 'Falle a' i ar 'i ôl e.'

Wrth i fi roi'r papur dan y jar spaghetti sylwais ar y ddau'n edrych ar ei gilydd. Roedd e'n amlwg isie gwybod gan Mam pam o'n i mor ddywedwst. Ond o'r olwg oedd ar ei hwyneb a'r ffordd y cododd ei hysgwyddau, doedd dim syniad 'da hi.

Dros swper, yn eironig iawn, fe fu'r ddau'n sgwrsio'n gyfeillgar. Er gwaethaf—neu oherwydd—fy hwyliau drwg i, roedd y ddau i weld yn agos iawn. Syllais yn ddiflas ar y *goulash* a'r reis a meddwl mor hawdd y gallwn i eu gwahanu nhw—a hynny, falle am byth.

Ar ôl bod wrthi am oriau rown i'n eithaf hapus â'r lliw piws ar 'y ngwallt. O leiaf rown i wedi bod yn gwneud rhywbeth heblaw meddwl am Tom.

Fore dydd Iau penderfynais wisgo fy nillad Rwsiaidd. Roeddwn wedi gwneud dwy neu dair blows â choler uchel. Y rheiny a'r bŵts du, sodlau uchel oedd fy ffefrynnau ar y pryd. Edrychwn fel croesiad rhwng Tsarina a gwraig werinol o ardal môr y Baltig. Doedd dim syniad 'da fi beth fyddai'n gwneud argraff ar Mr Evans. Ai rhyw ddyn busnes llwyddiannus, soffistigedig oedd e? Os felly doedd fawr o syniad 'da fi ynglŷn â *haute couture*.

Gwisgais y flows les wen a sgert hir o gotwm brown. Doedden nhw ddim yn edrych cweit yn iawn gyda 'ngwallt piws i felly fe ychwanegais felt du a mwclis amethyst a ges i gan Mam-gu, a gwasgod liwgar. Doedd 'y ngwallt i ddim yn iawn. Gyda'r dillad 'ma fe fyddai brown wedi bod yn well na phiws. Ond roedd hi'n rhy hwyr nawr ac fe rois i sgarff ynddo fe i leddfu tipyn ar yr effaith.

Doedd Mam ddim yn hapus o gwbwl.

'O Sara, beth yn y byd . . .'

'Fel hyn wy'n bwriadu gwisgo, Mam, a nag o's, sdim ots 'da fi beth fydd pobol yn meddwl.'

Fe drodd hi bant â golwg ddolurus ar ei hwyneb a diflannu i'r gegin. Fues i'n ddigon caled i fynd mas drwy ddrws y ffrynt heb ffarwelio â hi. Doedd arna i ddim isie ffrae cyn mynd o'r tŷ.

Doedd y stryd yn Llanelli ddim beth rown i wedi'i ddisgwyl. Stryd gefn oedd hi ac roedd un ochr newydd gael ei thynnu i lawr ac yn agored i'r awyr. Roedd 'na ambell adeilad newydd fan hyn a fan draw, ond roedd 'na lefydd gwag hefyd. Doedd dim pwynt dechrau chwilio am siop deiliwr ar yr ochr hon. Yr ochr arall i'r stryd roedd y pafin yn hen ac yn droellog. Cerddais ar hyd iddo gan syllu i ffenest pob siop wrth fynd heibio. Siop trin gwallt â lluniau anhygoel o henffasiwn yn y ffenest; siop fwci, siop lysiau, siop bopeth, â bocseidi o hoelion a theils y tu fas iddi. Yn nes 'mlaen, doedd pethau ddim cystal. Roedd 'na breniau ar draws ffenest y siop nesa. Wedyn, siop bapur newydd â llond ei ffenest o gylchgronau amheus; lle gwerthu insiwrans, a siop gemist fach dywyll. Wedyn roedd 'na siop yr oedd hi'n anodd ei galw'n siop o gwbwl.

Roedd 'na ddwy ffrog yn hongian yn y ffenest. Sidan oedd y ddwy, un yn goch â sbotiau gwyn, a'r llall yn las. Fues i jyst â chwerthin yn uchel. Yn fy marn i doedden nhw'n werth dim. Doedden nhw ddim yn ddigon henffasiwn i fod yn ffasiynol, ac eto roedden nhw'n rhy henffasiwn i fod yn fodern. Roedd 'na garden ar y drws. 'J.S. Evans. Tailor and Cutter. High Class Ladies' Wear.'

Hwn oedd y lle felly. Suddodd fy nghalon. Doedd arna i ddim isie gwybod am y math yma o ddillad. Beth allwn i ei ddysgu 'ma? Roeddwn i rhwng dau feddwl p'un ai i ganu'r gloch ai peidio. Waeth heb â gwastraffu amser. Lle bach eilradd oedd hwn na fyddai'n gallu cynnig dim i fi. Ar y llaw arall doedd 'da fi ddim byd arall i'w wneud.

Cyn i fi gael cyfle i wasgu'r gloch fe agorwyd y drws gan fenyw fach mewn du. Rhoddodd botel laeth ar y rhiniog a gwenu arna i.

Eglurais pwy oeddwn a bod 'nhad wedi rhoi'r cyfeiriad i fi. Rhoddodd ei llaw esgyrnog ar fy mraich yn syth a gwenu'n gynnes.

'Fe fydd John wrth 'i fodd! Dewch miwn, dewch miwn.'

Fel tasai hi'n trio cael iâr i mewn i gwt ieir fe wthiodd hi fi heibio iddi a chau'r drws y tu ôl i ni. Wedyn fe ddiflannodd drwy ddrws cefn yn gweiddi, 'John! John! Ble wyt ti?'

Edrychais rownd y siop. Roedd 'na silffoedd ar y wal y tu ôl i'r cownter uchel. Roedd hi'n hawdd dychmygu'r lle pan oedd e'n siop deiliwr. Fe fyddai 'na ddefnyddiau ar y silffoedd a llyfrau patrymau ar y cownter. Fe fyddai 'na gadeiriau i'r cwsmeriaid eistedd arnyn nhw wrth ddewis eu defnydd. Cyn dyfodiad y siopau mawr â'u dillad parod, rhad, fe fyddai pobol yn tyrru i le fel hwn i gael eu dillad wedi'u gwneud yn arbennig.

Yr unig arwydd o waith creadigol oedd yno erbyn hyn oedd ffrog a osodwyd ar stand yng nghanol y llawr. Roedd hi'n edrych mor syml fe allech chi dyngu'i bod hi wedi'i cherfio o garreg. Un sidan lwyd oedd hi, a phan es i i gael golwg agosach arni fe ges i'n rhyfeddu gan gywreindeb ei gwneuthuriad. Roedd fy nillad i fel sach o'u cymharu â hi. Roedd y ffrog hon o safon broffesiynol ymhell y tu hwnt i 'nghyraeddiadau i.

Dychwelodd y fenyw fach gan glebran pymtheg y dwsin â dyn bach gwallt gwyn. Gwisgai gardigan werdd fawr a di-siap, a chrys streip heb dei. Roedd sbectol tebyg i rai Mr Biggs 'dag e, ond yn wahanol i Mr Biggs, doedd e ddim yn eu tynnu nhw er mwyn ysgwyd llaw. Fe edrychodd e arna i drostyn nhw wrth ysgwyd fy llaw yn gynnes yn ei ddwy law ei hunan. Meddyliais am funud y byddwn i'n casáu'r cyfarchiad 'ma. Ond doeddwn i ddim. Roedd ei ddwylo'n galed ac yn gynnes ac rown i'n cael y teimlad rhyfeddol 'mod i'n cyfarch rhywun rown i'n ei nabod ers blynydde.

'Ma' hi mor neis 'ych gweld chi,' meddai. 'Ŷn ni wedi cwrdd o'r bla'n ond fyddech chi ddim yn cofio. Dewch

’weld nawr, rhyw ddeunaw modfedd o daldra o’ch chi bryd ’ny. Reit ’te, dewch miwn, dewch miwn.’

Cydiodd yn fy llaw a’m harwain at y drws yng nghefn y siop. Roedd ei wraig yn gwenu’n hapus. Er bod ei gwallt wedi britho roedd ei haeliau’n dywyll—mor dywyll â rhai Tom—ac yn syfrdanol yng nghanol ei hwyneb crych.

Stafell fechan oedd y tu cefn i’r siop, yn orlawn o bob math o drugareddau od. Roedd ’na ford fawr yng nghanol y llawr wedi’i gorchuddio â llyfrau, papurau, darnau o ddefnydd, teipiadur, hanner torth, potiau jam a phicls, tebot mawr a chwpanau brwnt. Roedd ’na silff-oedd llyfrau ar bob wal ond roedd y llyfrau wedi’u cuddio y tu ôl i ddillad oedd yn hongian o fachau a osodwyd ar y silffoedd uchaf. Doedd fawr o oleuni’n dod drwy’r cyrtens net, a thros y rheiny wedyn roedd ’na gyrtens melfed, trwm yn hongian o gylchoedd oren. O dan bentwr o ddefnyddiau roedd ’na fashîn gwnïo henffasiwn, ond fod ’na fotor trydan newydd arno.

‘Fan hyn fyddwch chi’n gweitho?’ holais.

Chwarddodd y ddau. Roedd hi’n brysur yn trio clirio rhai o’r llestri brwnt.

‘Na, na,’ meddai Mr Evans. ‘Shwt alle rhywun weitho fan hyn? Lle i ishte a siarad yw hwn, dim lle i weitho. Ma’ ’na stafell lan lofft lle ŷn ni’n neud ambell beth. Ond draw yn lle’r mab ŷn ni’n gweitho fwya’r dyddie hyn.’

Fe wenodd e arna i eto.

‘’Na groten fach bert ŷch chi, Sali! Fe wedodd ’ych tad bo’ chi’n bert ond ma’ pob tad yn gweld ’i ferch yn bert on’d ŷn nhw? Nawrte, steddwch. Meira, dishgled fach o de?’

Roedd ei wraig wedi mynd mas i’r gegin fach.

‘Ma’r tegell ar y tân!’ gwaeddodd.

Eisteddodd Mr Evans wrth y ford a phwyso ata i i edrych ar 'y mlows.

'Chi 'nath hi?' holodd.

'Ie. Fi sy'n neud 'y nillad i gyd. Dy'n nhw ddim yn spesial, cofiwch. Dim fel y ffrog 'na weles i 'nôl fan'na.'

'Odych chi'n iwso patryme?'

'Dim fel arfer. Ma' 'da fi un hen batrwm—un *Simplicity*—fydda i'n 'i iwso i neud blowsys. Wy'n amrywio'r gwddw a'r llewys bob tro. Twyllo os licwch chi.'

Astudiodd fy nillad yn ofalus, gan fanylu ar leining y wasgod, a thyllau botwm y flows. Wedyn gofynnodd i fi sefyll a throi rownd o'i flaen. Gwyddwn yn iawn nad oedd hem fy sgert yn syth, ac y byddai yntau'n sylwi.

'Wel,' meddai o'r diwedd, 'ma' tipyn o ddawn 'da chi. Ŷch chi'n gwbod beth yw steil hefyd. Nawrte, steddwch. Ma'ch tad yn gweud bo' diddordeb 'da chi i ddod miwn i'r busnes 'ma.'

Plethodd ei freichiau ac edrych arna i.

'Gwedwch wrtha i nawr,' meddai, 'beth yn gwmws ŷch chi isie'i neud?'

Triais egluro 'mod i wedi bod isie cynllunio dillad erioed. Wrth i fi siarad fe gofiais am y cyfweliad gyrfaoedd ges i yn yr ysgol gyda rhyw fenyw o'r Pwyllgor Addysg neu rywbeth. Gwisgai siwt borffor erchyll a chwaraeai â'i beiro rhwng ei bysedd wrth wrando arna i. Wedyn gwenodd yn nawddoglyd arna i a dweud, 'Ond dyw hynny ddim yn ymarferol iawn ody fe? Beth licech chi neud go iawn?'

Nid dyna oedd ymateb Mr Evans. Fe eisteddodd e'n ôl a meddwl yn galed am funud.

'Mater o shwt ma' mynd ati yw e ontefe,' meddai. 'Allwch chi aros yn yr ysgol, neud yr arholiade, mynd i'r coleg, mwy o arholiade, neud lot o waith, a gobeitho y bydd un o'r cwmnïe mawr yn sylwi arnoch chi. Ma' ambell un yn llwyddo fel hyn, ond ma' 'na lot o lwc yn y busnes 'ma. A ma' hi'n dibynnu pwy ŷch chi'n nabod.'

'Pwy ffordd arall sy 'na 'te?' Gobeithiwn na fyddai raid i fi fynd 'nôl i'r ysgol.

Edrychodd e arna i'n hir; a doedd e ddim yn gwenu.

'Y ffordd arall yw gwaith caled. Dechre yn y gwaelod fel *machinist*. Dysgu shwt ma' gweitho'n glou ac yn deidi. Shwt ma' neud gwahanol *seams*, a thylle botwm, a phocedi —yr hen bethe diflas. Gwnïo â llaw; neud yr un hen beth dro ar ôl tro. Gwaith caled, diflas. A dim lot o arian.'

'Fydde dim ots 'da fi, wir,' atebais yn llawn brwdfrydedd. 'Wy isie dysgu'n iawn. Licen i ga'l 'yn syniade'n hunan rywbryd wrth gwrs—ma' hynny'n naturiol. Ond dyw hynny ddim yn golygu bo' fi'n *trendy*.'

Fe chwarddodd yn sydyn.

'Ond Sali fach,' meddai, gan wasgu'n llaw, 'chi yn *trendy*! A fel'ny dylech chi fod. Yn 'ych oedran chi fe ddyle syniade arllwys mas o'r pen 'na fel dŵr o'r tap.'

Fe gyrhaeddodd ei wraig â'r te.

'Wel, ody popeth wedi'i setlo?'

Gwenodd Mr Evans ac ysgwyd ei ben.

'Setlo wir,' meddai. 'Ti wastad ar shwt gymint o hast.'

'Wel, sdim problem o's e? Allith hi ddechre gyda Bernard. Ma' isie croten newydd arnoch chi oddi ar i Rachel fynd. A ma' isie syniade newydd, rhai ifanc, on'd o's e. Dim pethe posh fydd pethe'r *mail order* 'ma ti'n gwbod. Fydd raid i chi wbod beth ma'r bobol ifanc isie!'

Taflodd Mr Evans ei ddwylo yn yr awyr a throi ata i mewn diymadferthedd ffug.

'Chi'n gweld beth wy'n ddiodde? . . . A finne'n trio

'ngore i fod yn ddyn busnes gofalus, call! A beth ma' hi'n neud? Pwff! Towlu popeth i'r gwynt!'

'Lla'th ne' lemon yn 'ych te, Sali?' gofynnodd hithau'n ddi-hid.

'Lemon plîs,' atebais dan chwerthin. Dau fach anhygoel oedd y ddau yma.

'Reit 'te,' meddai Mr Evans, ac ochneidio'n uchel, 'fe gewch chi wbod yr hanes i gyd, Sali. 'Y nhad ddysgodd y grefft i fi a fe ges i'r busnes 'ma ar 'i ôl e. Fe weithes i'n galed a cha'l lot o lwyddiant. Fe ddechreues i neud mwy a mwy o ddillad menywod a neud enw reit dda i fi'n hunan. O'dd 'na lot o bobol eitha cefnog yn dod ata i . . .'

'Ma'r rhan fwya wedi marw erbyn hyn,' meddai Meira.

'Odyn,' cytunodd. 'A fe fuodd yr hen fusnes farw gyda nhw. Fues i'n hir iawn yn sylweddoli hynny, cofiwch. Fe ddylen i fod wedi bransho mas ers blynydde. Ond,' ac fe ochneidiodd eto, 'os ŷch chi'n dda yn 'ych gwaith, ac os o's 'na bobol yn dibynnu arnoch chi, ma' hi'n anodd newid 'ych ffordd. A man a man i fi gyfadde, fuodd hi'n eitha caled arnon ni am flynydde.'

'Wedes i wrtho fe,' meddai Meira gan ysgwyd ei phen. 'Wedes i bo' 'na ddim arian mewn *haute couture*.'

'Ma' 'na rai menywod cyfoethog sy'n dal i lico talu drwy'u trwyne am ddillad spesial,' meddai'n amddiffynnol. 'Ond ma' Meira'n hollol iawn. Mewn dillad parod ma'r arian erbyn hyn. O'dd Bernard, 'y mab, wedi sylweddoli hyn o 'mla'n i, neu o leia cyn i fi gyfadde'r peth. Pan ddoth yr amser iddo fe ga'l siar yn y busnes ro'dd e isie newid pethe. Fe anghytunon ni wrth gwrs . . .'

Fe gododd Meira'i llygaid at y nenfwd wrth gofio'r cyfnod.

'Ond fe Bernard o'dd yn iawn,' meddai Mr Evans. 'Fe berswadodd e fi i ga'l benthyg arian o'r banc a cha'l lle mwy er mwyn neud lot mwy o ddillad ar gyfer y farchnad ifanc. Ma' fe'n 'i neud hi'n dda iawn.'

'A nawr ma' fe'n dechre ar fusnes *mail order*,' meddwn i.

'Ody. Ma' cefnder 'da fe sy'n deall y cwbwl achos bo' fe'n dablo gyda pethe micro-chip o Taiwan. Aros i'r catalog fod yn barod ma' fe nawr.'

Yfodd rhywfaint o'i de ac edrych arna i'n ddifrifol.

'Nawrte,' meddai, 'os ŷch chi'n mynd i weitho i ni fe fyddwch chi'n ca'l 'ych trin fel y merched erill. Mr Evans fydda i, a Mr Bernard fydd y mab. Fydd gofyn i chi weitho'n galed iawn fel ma'r lleill yn neud. Ond ma' 'na wahanieth. Fe gym'rwn ni chi fel *apprentice* a dysgu popeth i chi. Allech chi fynd i'r coleg ar *day release* os licech chi er mwyn cadw lan â syniade newydd. Chi'n hapus mor belled?'

'Odw!'

'O'ch ochor chi wedyn fe fydden ni'n disgw'l i chi fod yn barod i gynnig syniade. Miwn fan hyn yn y stafell 'ma, Jack a Meira a Sali a Bernard fydden ni, reit? Fe fydden ni'n trafod ac yn dadle ac yn tynnu llunie ar ddarne o bapur. Tasen ni'n dewis un o'ch syniade chi fe gelech chi'ch talu amdano fe, reit? Ond tra boch chi'n gweitho i ni fel *apprentice*, dan enw'r cwmni fydde pob un o'ch syniade chi'n ca'l 'u gwerthu. Chi'n cytuno?'

'Odw, wrth gwrs,' atebais, er na allwn i lyncu'r cyfan ar unwaith.

'Ti'n 'i drysu hi, Jack,' meddai Meira. 'Gwrandwch Sali, y peth gore yw i chi drafod y cynnig 'da'ch tad. Allith e'ch helpu chi.'

Fe deimlais i'n hunan yn rhewi. Mae'n rhaid bod Mr Evans wedi sylwi achos fe ddwedodd e, 'Ambell waith dyw hi ddim yn hawdd siarad â'ch teulu. Ffôna i fe i weld beth ma' fe'n feddwl. Ddyle rhywun ddim ypseto manijer y banc chi'n gwbod!'

'Er 'i fod e'n hen ffrind!' ychwanegodd Meira.

Fe driais i wenu ond roeddwn i'n mynd yn dynn i gyd wrth feddwl am Dad. Wyddwn i ddim beth i'w ddweud nesa. Roedd 'na dawelwch bach lletwhith am dipyn.

'Falle y dyle Sali ddod aton ni am ddwyrnod ne' ddou i weld shwt ma' pethe'n gweitho,' awgrymodd Mr Evans o'r diwedd. 'Fe alle hi benderfynu bod hi ddim yn 'yn lico ni o gwbwl!'

'Alla i ddechre nawr?'

Chwarddodd y ddau.

'Na,' medde fe, ac edrych ar hen gloc mawr ar y silff-ben-tân. 'Ma' hi jyst yn amser cino. Ond fe a' i â chi i gwrdd â Bernard ac i weld y lle newydd. Ti'n dod 'da ni, Meira?'

'Na, ma' gormod o waith 'da fi,' atebodd.

Roedd gweddill y bore fel breuddwyd. Roedd 'y lle newydd' rhyw waith deng munud o gerdded i ffwrdd, mewn adeilad uwchben garej. Lle golau braf oedd e, â digonedd o ffenestri mawr. Gweithiai'r merched wrth feinciau llydan ac roedd eu peiriannau'n rhai modern, cyflym. Sŵn bach hamddenol oedd f'un i'n ei wneud, ond roedd y rhain yn chwyrlïo mynd gan lyncu'r defnydd yn awchus.

Mewn swyddfa fach daclus ym mhen draw'r gweithdy fe gwrddais i â Bernard, stwcyn bach crwn, cyfeillgar, yn llewys ei grys. Fe ges i'r un croeso ganddo ag a ges i gan ei dad, ac fe syllodd e arna i'n llawn syndod. Roeddwn i wedi dechrau cynefino â phobol yn syllu arna i erbyn hyn. Ond roedd 'na reswm dros syndod Bernard.

'Wel,' meddai. 'Drychwch arni! Yn gwmws beth wy 'di bod yn whilo amdani! Ti erio'd 'di gweitho fel model? Ti'n gwbod, photos. Ffasiwn, cadw dy ddillad 'mla'n wrth gwrs.'

'Na'dw.'

'Tr'eni bo' Michael ddim 'ma,' meddai. 'Alle fe fod wedi tynnu cwpwl stretaway.'

Wedyn fe aeth e draw at res o ffrogiau oedd yn hongian ar rêl, a chwilota drwyddyn nhw.

'Ddyle hon dy ffito di,' meddai, a rhoi un fach taffeta yn fy llaw i. 'Tria hon. Draw fan'na, yn y *Ladies*.'

Fe wnes i fel oedd e'n dweud. Ffrog bert, werdd, lachar oedd hi, â sgert fach fer yn llawn ffrils. Roedd hi'n ffitio'n berffaith. Doedd y sgarff rown i'n ei gwisgo yn 'y ngwallt ddim yn gweddu felly fe dynnais i hi ac ysgwyd 'y nghyrls yn rhydd. Wrth gerdded 'nôl i'r swyddfa teimlwn yn swil iawn.

'O'n i'n gwbod!' meddai Bernard. 'Grêt! Tro rownd. Ffantastic! Gwranda, licet ti neud gwaith modelo ar gyfer 'y nghatalog i? Gei di dy dalu wrth gwrs. On'd o's coese pert 'da hi?' ychwanegodd wrth ei dad, oedd yn edrych braidd yn bryderus.

'Dim dod 'ma i drafod photos nethon ni, Bernard. Wy 'di cynnig i Sali y gallen ni 'i chymryd hi fel *machinist* i ddechre a wedyn rhoi *apprenticeship* iddi. Ma' diddordeb mowr 'da hi mewn neud 'i dillad 'i hunan.'

''Na beth ma'n nhw i gyd yn 'weud,' gwenodd Bernard, gan wibio rownd i fi ac edrych ar y ffrog o bob cyfeiriad. 'Ond wrth gwrs y cymrwn ni hi. Tr'eni bo' Michael ddim ma', 'na i gyd. Ma'n rhaid i fi ga'l llunie ohoni.'

'Cer i newid, Sali,' meddai Mr Evans yn dawel.

Wrth i fi adael y swyddfa fe welais i fe'n rhoi'i law ar ysgwydd ei fab a'i arwain at gadair. Roedd hi'n amlwg ei fod yn awyddus i drafod rhywbeth pwysig.

Pan ddes i'n ôl fe siaradodd Bernard â fi'n boleit iawn.

'Dere miwn bore fory Sali, os wyt ti isie. Gewn ni weld shwt ddoi di 'mla'n. Wedyn fe ddechreuwn ni feddwl am gontract, ac os yw pawb yn hapus alli di ddechre'r wthnos lawn gynta ddydd Llun. Ymbytu'r gwaith model —wel, allet ti 'i drio fe un o'r dyddie 'ma.'

'Fydden i wrth 'y modd,' meddwn, a dechrau chwerthin.

Gwenodd Bernard wrth 'y ngweld yn chwerthin.

'Wyth o'r gloch bore fory,' meddai. 'Dyw hynny ddim yn ddoniol, cofia.'

Roedd hi'n anodd bod yn ddifrifol. Teimlwn mor hapus.

11

Es i adref a dweud yr hanes i gyd wrth Mam. Fues i bron â galw yn y caffi i weld Liz ar y ffordd, ond fe benderfynais i beidio rhag iddi fynd i drwbwl gyda'r hen *chef* bach pigog.

Roedd Mam wedi paratoi salad ac rown i'n falch 'mod i wedi dod 'nôl yn syth. Gwyddwn o brofiad mor ddiflas oedd hi i aros am rywun oedd byth yn dod. Roedd hi'n llawn diddordeb hyd nes i fi grybwyll nad oeddwn i'n bwriadu mynd 'nôl i'r ysgol.

'Ma' isie rhwbeth ar bapur yn gefen i ti. Beth os 'nei di ailfeddwl am y job 'ma a phenderfynu mynd i'r coleg?'

Fe'i hatgoffais hi o'r stori amdani hi'n penderfynu aros yn y coleg yn hytrach na mynd i'r Eidal gyda'i chariad. Roedd golwg anhapus ar ei hwyneb wrth iddi ateb.

'Ma' hi mor hawdd edrych 'nôl ar bethe a'u gweld nhw'n wahanol i'r hyn o'n nhw mewn gwirionedd. Ar y pryd, shwt o'n i'n gwbod beth o'dd yn mynd i ddigwydd? Beth tasen i heb gwrdd â dy dad?'

'Beth tasech chi wedi mynd i'r Eidal? Fyddech chi ddim wedi 'ngha'l i wedyn. Ne' falle y byddech chi. Fi fydden i tase tad gwahanol 'da fi?'

'Sdim modd ateb cwestiyne fel 'na o's e?'

Fe eisteddon ni heb ddweud dim am dipyn. Wedyn fe ofynnodd, 'Beth sy'n bod rhyngot ti a dy dad, Sara?'

'Dim byd!' atebais ar unwaith, ond gallwn deimlo fy wyneb yn gwrido'n araf.

'O's ma' 'na,' mynnodd. 'Ti ddim 'di siarad ag e ers dyddie. Ma' fe'n becso'n ofnadw. Ma' fe'n credu falle'i fod e wedi gweud rhwbeth.'

'Nag yw siŵr. Dyw pethe ddim wedi mynd yn iawn i fi'n ddiweddar, 'na i gyd.'

'Falle y byddi di'n credu bo' hyn yn ddwl,' meddai, gan grychu'i thalcen, 'ond ar ôl beth wedest ti'r dwyrnod o'r bla'n ymbytu shwt fydden i'n teimlo tase dy dad yn ca'l affêr, fe ddechreues i feddwl bo' rheswm 'da ti i gredu'i fod e. Falle taw hynny o'dd yn d'ypseto di. Ond fe wedet ti wrtha i taset ti'n ame rhwbeth fel'ny . . .'

'Wrth gwrs 'ny!' meddwn i'n wyllt. 'Ma beth oedd cawdel. Beth oeddwn i wedi'i wneud? Pam na fyddwn i wedi cadw 'ngheg fawr ynghau? Roedd prynhawn cyfan o 'mlaen i. Taswn i'n aros yn y tŷ fe fyddwn i'n siŵr o ddweud rhywbeth dwl wrthi. Neu fe fyddwn i'n colli 'nhymer â hi wrth drio osgoi'i chwestiynau. Cyn i fi sylweddoli beth oeddwn i'n ddweud fe ddwedais, 'Ma'n rhaid i fi fynd mas am dipyn. Wy 'di addo rhoi'r crys 'na i Tom.'

Rown i'n cael pleser od wrth sôn amdano fe, a'i enwi fe, fel petai'n hen gariad i fi . . . Fel petai'n gariad i fi o hyd . . .

Ochneidiodd Mam. ''Na ti 'te. Cer os o's raid i ti.'

Cynigiais aros i helpu gyda'r llestri ond fe wrthododd. 'Fydd e'n rhwbeth i fi neud,' meddai.

Fe rois i'r crys mewn papur sidan a wedyn mewn bag plastig, a chychwyn am Garej Ben. Lle bach diflas oedd e lawr hen ffordd fach gefn heibio i'r sinema. Roedd 'na lond y lle o geir rhacs ym mhobman. Es i draw at ddyn oedd yn rowlio *tyre* at y beipen wynt oedd yn hongian dros fachyn rhydlyd, a gofyn iddo a oedd e'n gwybod ble'r oedd Tom. Wrth iddo'm llygadu i o'r top i'r gwaelod fe ddifarais nad o'n i wedi newid 'y nillad. Daliwn i wisgo'r dillad ffrils oedd amdana i yn y bore. Pwyntiodd ei fawd i gyfeiriad rhyw adeilad mawr y tu cefn iddo.

Gan wneud 'y ngorau i edrych yn ddifater, cerddais draw at ddrws coch â *MIND YOUR HEAD* wedi'i sgrifennu arno. Cnociais yn galed ond roedd sŵn aflafar *Radio One* yn boddi'r cyfan a ddaeth 'na neb i ateb. Fe rois hwb bach gofalus i'r drws, plygu 'mhen, a cherdded i mewn.

Roedd Tom â'i gefn ata i yn twrio ym mherfeddion rhyw gar. Wrth ei weld, teimlais yr ias cyfarwydd yn mynd drwydda i.

'Ie?' meddai boi gwallt melyn mewn boiler suit ddu, seimllyd.

'Wy isie gair â Tom,' meddwn i mewn llais caled.

'Dal am funud,' atebodd, a mynd draw at y car.

Cododd Tom ei ben ac edrych draw ata i. Sychodd ei ddwylo mewn clwtyn brwnt a cherdded ata i.

'Beth ti'n neud 'ma?'

''Na beth yw croeso! Fe ddes i â dy grys di.'

Dangosais y bag iddo, ond ddangosodd e fawr o ddiddordeb.

'Ti ddim isie'i weld e 'te?' holais, gan feddwl 'ti ddim isie 'ngweld *i*?' Ddylwn i ddim fod wedi dod.

'Ma' hi'n lletwhith fan hyn,' meddai. 'Whare teg i ti cofia, ond ma' hi 'bach yn anodd . . .'

'Sori,' meddwn i, a throi at y drws.

Pwy gerddodd heibio ond Gary, gan edrych arna i mewn syndod.

'Shw' 'ma'i, Sali!' galwodd, a thaflu golwg ar Tom.

Fe deimlais i'n fwy fyth o ffŵl, ac fe es i mas.

'Aros funud,' gwaeddodd Tom, a 'nilyn i drwy'r drws.

Teimlwn yn well yn yr awyr iach.

'Wy 'di ca'l job newydd,' meddwn, gan drio swnio'n llawn hyder. 'Jyst y peth o'n i isie, yn neud dillad.'

Sylweddolwn falle na fyddwn i'n ei weld byth eto. Syllais ar ei wyneb er mwyn gwneud yn siŵr y byddwn i'n cofio popeth amdano—yn enwedig ei lygaid. Roedd 'na faw ar ei drwyn ac fe deimlais awydd i boeri ar fy hances a'i sychu e fel y byddai Mam yn ei wneud pan o'n i'n fach.

'Grêt,' meddai. 'Do'n i ddim yn meddwl y byddet ti'n aros wthnos arall yn yr hen siop 'na.'

Roedd arna i isie sôn am y parti ond roedd hi mor anodd.

'Fe dala i'r ddeg punt 'na'n ôl i ti fory,' meddai.

'Na beth oedd syndod. Ond trio dod â phethau i ben oedd e, siŵr o fod. Gwneud pethau'n deidi.

'Fydda i ddim yn y parc, cofia. Fydda i yn y gwaith,' atebais, gan obeithio 'mod i'n ymddangos mor ddi-hid ag yntau.

'Caffi Ron am whech 'te?' meddai, ac fe gytunais wrth gwrs.

Fe safon ni'n edrych ar ein gilydd ac yn sydyn fe es i ar flaenau 'nhraed a'i gusanu e. Daliodd ei freichiau mas rhag i fi gael olew ar 'y nillad. Ond fe gusanodd e fi'n ôl.

'Cer nawr, Fflos.' Gwenodd. 'Wela i di fory.'

'Grêt!'

Dechreuais gerdded at y ffordd. Trois yn sydyn i godi llaw, ond roedd y drws coch yn cau y tu ôl iddo.

Eisteddai Liz yn ei throwsus gwyn ar y grisiau cerrig y tu ôl i'r gegin lle'r oedd hi'n gweithio.

'Ti'n edrych yn posh,' meddai. 'Ond ma' marc du 'da ti ar dy drwyn.'

Triais ei rwbio â chefn fy llaw.

'Aros funud, a' i i nôl pishyn o *kitchen-roll* i ti.'

Diflannodd i'r gegin a dod 'nôl â darn o bapur meddal yn ei llaw a lwmpyn bach o fenyn ar flaen ei bys.

'Oil yw hwn ontefe,' meddai wrth rwbio'r menyn ar 'y nhrwyn a wedyn ei sychu fe â'r papur.

Gwenais yn hapus arni.

'Ti ddim yn gall ymbytu'r boi 'na,' meddai wrth eistedd. 'Beth ti 'di bod yn neud 'te?'

Eisteddais yn ei hymyl a dweud y cyfan wrthi, gan orffen gyda'r ofn oedd arna i 'mod i wedi dweud gormod wrth Mam am f'amheuon ynglŷn â Dad. Ysgwyd ei phen mewn anobaith wnaeth Liz. Roedd yr *highlights* yn gwneud iddi edrych fel cath wedi colli'i blew.

'Shwt wyt ti'n llwyddo i fynd dros dy ben i ddŵr twym bob cyfle gei di? Cofia, wy'n falch ymbytu'r job. Allen i feddwl bo' fe'n grêt.'

Daeth y *chef* at y drws.

'Ma'r gloch yn canu,' meddai, ac fe neidiodd Liz ar ei thraed gan weiddi 'Macaroons!' cyn diflannu i'r gegin.

Ymhen rhai eiliadau rhoddodd ei phen rownd y drws a gweiddi, 'Wela i di!' a diflannu eto. Tipyn o niwsans oedd gwaith pan oeddech chi'n trio cymdeithasu.

Fe lusgais yn ôl i'r tŷ gan obeithio na fyddai Mam yn sylwi 'mod i'n dal i gario'r crys yn y bag. Ond roedd hi'n canu'r piano felly rown i'n saff. Es i lan i'm stafell ac eistedd wrth y ffenest i edrych mas ar yr ardd ac i wrando ar y gerddoriaeth.

Roedd Dad yn amlwg yn falch iawn ynglŷn â'r job newydd a'r ffaith ei fod e wedi gallu gwneud rhywbeth i helpu. Roedd e mor llawn o frwdfrydedd fe ddechreuodd f'agwedd i ato fe feddalu. Sylweddolwn hefyd na allwn i ddweud na gwneud dim allai godi mwy o amheuon ym meddwl Mam. Allwn i ddim â dioddef wynebu'r canlyniadau tasai Mam yn dod i wybod y cyfan.

Fel roedd e wedi addo, roedd Mr Evans wedi cysylltu â Dad ac wedi cadarnhau'i fod e wedi cytuno i 'nerbyn i o dan hyfforddiant ac y byddwn i'n cael dilyn cwrs yn y coleg celf yr un pryd. Yn y pen draw fe fyddwn i'n ennill tystysgrif *City and Guilds*. Rown i ar ben y byd.

Drannoeth, codais yn gynnar a chyrraedd y gwaith ymhell cyn wyth. Ond roedd y lle'n berwi erbyn i fi gyrraedd. Chymerodd neb fawr o sylw ohona i am dipyn. Rhedai Bernard rownd fel dyn gwyllt ac roedd pawb arall yn brysur yn gwneud beth bynnag oedden nhw i fod i' wneud. Rown i'n dechrau simsanu.

O'r diwedd cyrhaeddodd menyw dal, tua'r deugain oed, ac ysgwyd llaw yn ffurfiol.

'Barbara Griffiths odw i. Fi fydd yn gofalu amdanoch chi ar y dechre.'

Roedd hi fel tasai hi'n cymryd yn ganiataol y byddwn i'n aros am fwy na diwrnod o brawf. Ond doedd dim ots achos rown innau'n siŵr y byddwn i'n aros hefyd. Fe ddwedodd wrtha i am eistedd wrth fainc yn ymyl y ffenest a chan nad oedd mashîn yno doeddwn i ddim yn siŵr iawn beth oeddwn i fod 'i wneud.

'O's gwniadur 'da chi?' holodd.

Atebais nad oedd. Doeddwn i byth yn defnyddio un. Down i ddim yn defnyddio nodwydd yn aml iawn chwaith. Roedd hi gymaint yn haws defnyddio'r mashîn ar gyfer popeth. Gwenodd wrth weld y siom ar f'wyneb.

'Dechre o'r gwaelod ŷn ni fan hyn,' meddai. 'Ma' neud pethe â llaw yn bwysig. Ma' rhaid i chi allu gwnïo â llaw hyd yn o'd os na fyddwch chi'n neud rhyw lawer ohono nes 'mla'n.'

Ac fe ddangosodd hi sut oedd gwneud. Nodwydd fach fain, finiog, gwniadur ar y bys canol, edau fer. Holais pam na allwn i ddefnyddio edau hirach. Byddai'n llai trafferthus.

'Fydde un hirach yn mynd yn glyme i gyd,' eglurodd. 'A meddyliwch faint o amser fyddech chi'n wastraffu wrth drio'u datrys nhw o hyd. A ma' amser yn bwysig yn y job 'ma. Reit, dewch i fi weld shwt ŷch chi'n dechre.'

Meddyliais ei bod hi'n mynd i roi clatsien ar fy llaw pan glymais gwlwm yn yr edau.

'Peidiwch byth â neud hynna, neu ŷch chi'n siŵr o ga'l clyme. Ma'n rhaid dechre â dwy ne' dair *back-stitch* a gadel digon o edau'n hongian er mwyn torri'r cwbwl yn deidi nes 'mla'n.'

Doeddwn i ddim yn cael gweithio ar ddilledyn iawn, dim ond ar ddarnau bach o ddefnydd sbâr. Teimlwn yn israddol iawn.

Roedd yn ddiwrnod hir. Fe weithion ni tan wedi pump ac rown i'n poeni'n ddychrynllyd na fyddai Tom yn aros amdana i. Rhuthrais i mewn i'r caffi a fan'ny oedd e, â'i draed lan ar y fainc, a sigarét yn ei law. Eisteddais gyferbyn â fe a phlygu dros y ford i roi cusan iddo.

'Beth ti 'di bod yn neud 'te?' holodd. Doedd e ddim fel tasai'n poeni 'mod i'n hwyr.

Eglurais beth rown i wedi bod yn ei wneud drwy'r dydd.

''Na beth yw uffern o le! Pam ti'n gadel iddyn nhw dy drafod di fel 'na?'

Ychydig ddyddiau'n ôl falle y byddwn i wedi cytuno ag e. Hyd yn oed y funud honno teimlwn yn siomedig 'mod i wedi cael 'y nhrafod fel newyddian llwyr i'r gwaith, heb unrhyw allu o gwbwl. Ac eto, mewn ffordd fach od, rown i wrth 'y modd. Deallwn yn iawn eu bod nhw'n trio gwneud y gwaith mor anodd ac mor anniddorol ag y gallen nhw er mwyn gweld pa mor benderfynol oeddwn i. Gwyddwn hefyd taswn i'n achwyn fe fyddwn i mas ar 'y mhen. Fe fyddai Mr Evans yn ysgwyd llaw yn drist, a Bernard yn dweud, 'Ma' hi lan i ti, cariad.' A gwyddwn ei fod e'n iawn.

Triais egluro hyn i gyd wrth Tom.

'Ma' hi lan i ti,' meddai, gan bwyso'i ben yn ôl a chwythu mwg i'r awyr. 'Dy fywyd di yw e.'

Tynnodd bapur decpunt o'i boced a'i roi ar y ford o 'mlaen i.

'Diolch,' meddai.

Sylwodd ar y bag roeddwn i wedi bod yn ei gario rownd drwy'r dydd. ''Y nghrys i yw hwnna?' gofynnodd.

Roedd ei ddwylo'n reit lân felly fe rois i'r bag iddo. Tynnodd y crys mas, ei ysgwyd yn rhydd o'r papur sidan, a'i ddal o'i flaen.

'Wel, wel! 'Ma beth *yw* crys!'

'Licen i 'i weld e amdanat ti.'

Yn sydyn fe safodd a thaflu stwmp y sigarét ar lawr a'i ddiffodd â'i droed.

'Dal hwn am funud,' meddai a thaflu'r crys ata i. Wedyn tynnodd ei got ledr a'r hen grys T diraen oedd odani, a sefyll fan'ny yng nghanol y caffi yn edrych fel Mr Universe. Dechreuodd rhai o'r cwsmeriaid guro dwylo a chwibanu. Cydiodd yn y crys a'i wisgo gan agor ei gopis i'w stwffio fe i mewn i'w drywsus.

'Nawrte,' meddai wrth gau'r zip, 'shwt odw i'n edrych?' Edrychodd ar ei hun yn y drych y tu ôl i'r cownter.

'Ti 'nath hwnna?' holodd rhyw ddyn oedd yn eistedd ar y ford nesa aton ni. ''Nei di un i fi nesa?'

'O na,' meddai Tom, 'dim ond i fi ma' hi'n neud pethe fel hyn.'

Plygodd i lawr i roi cusan i fi. 'Diolch Fflos, ma' fe'n grêt! Hei Ron, dou goffi a dou fisged—*plîs*!'

''Na grwt bach da,' meddai Ron a gwenu.

'Ffaelu deall odw i pam bo' raid i ti ddysgu shwt ma' neud pethe fel hyn,' meddai Tom wrth eistedd. 'Fydden i'n meddwl bo' ti'n gwbod yn iawn beth ti'n neud.'

'Dim o gwbwl,' atebais, gan gofio'r holl bethau a ddysgais yn ystod y dydd. 'Ma'r steil yn iawn, ond dyw'r gwnïo ddim yn ddigon da. A ma'r coler yn rong. Fentren i ddim 'i ddangos e yn y gwaith.'

'Wel ma' fe'n edrych yn iawn i fi,' meddai wrth i Ron ddod â'r coffi. 'Hei, licet ti fynd i'r sinema? Ma' 'na ffilm dda 'mla'n, rhwbeth am yr S.A.S. Lot o wa'd yndo fe.'

'Grêt,' cytunais ar unwaith, er 'mod i'n casáu ffilmiau â lot o waed ynddyn nhw.

Rown i'n dyheu am ofyn iddo ynglŷn â'r parti a'r ferch wallt tywyll. Ble oedd fy hunan-barch i? Ond Tom ei hunan soniodd am y peth gyntaf.

'O'dd dim ots 'da ti am nos Sul o'dd e?' holodd â'i geg yn llawn o fisged. 'Beth wy'n feddwl yw, *o'dd* ots 'da ti, ond dim lot, gobeitho.'

Cydiodd yn fy llaw dros y ford. Syllais i'w lygaid pert. Na, doedd dim ots 'da fi am ddim.

'Ti'n gweld,' ychwanegodd, 'allet ti fod wedi bod yn 'i lle hi. Ma' pobol yn neud pethe dwl mewn partis ar ôl meddwi tipyn bach. Ond fydde hi ddim 'di bod yn deg â ti. Ti ddim 'di penderfynu ymbytu pethe fel 'na 'to, ymbytu'r pil a phethe. Ddylen i ddim fod wedi'i neud e, wy'n gwbod. A wy'n sori bo' fi wedi'i neud e. Mynd i ga'l gair â cwpwl o hen ffrindie 'nes i, 'na i gyd, a fan'ny 'o'dd hi.'

'Ma' hi siŵr o fod yn hen, hen ffrind,' meddwn i'n ysgafn.

'Hi yw'r un â lot o arian wedes i 'thot ti amdani. Ma' Porsche 'da Dadi. Ma' hi'n ca'l unrhyw beth ma' hi isie. Ceir, dillad, partis, dynion. Gêm yw popeth iddi. Dyw hi ddim yn becso am ddim—na neb. Ond o leia sneb yn ca'l dolur fel'ny.'

Fe wasgodd e'n llaw i.

'Ti'n wahanol,' meddai. 'Ma' fe'n bwysig i ti. 'Na pam wy ddim isie neud dolur i ti.'

'Na beth oedd eironi. Ai dyna oedd y rheol bwysig? Dim ond os *nad* oeddech chi mewn cariad y dylech chi gael cyfathrach rywiol. Fyddai'r foment fawr yn digwydd i fi pan fyddai dim ots 'da fi a fyddai'n digwydd ai peidio.

Edrychodd Tom arna i'n bryderus.

'Ti'n olreit?'

Fe lwyddais i beidio ag ochneidio.

'Odw, wy'n olreit.'

Ar ôl yfed y coffi fe es i i ffôno Mam i ddweud wrthi 'mod i'n mynd mas. Clywais ochenaid fawr y pen arall.

'Ti wastad yn dewis noson pan fydd dy dad mas.'

Y fenyw 'na, heno eto. Y bastard.

'Drychwch, fe ddo i'n ôl nawr. Sori, do'n i ddim yn gwbod bo' fe mas.'

'Paid â siarad dwli,' meddai hi'n grac. 'A phaid â newid unrhyw drefniade er 'yn mwyn i. Fydda i'n iawn. Cer di i enjoio dy hunan.'

'Chi'n siŵr?'

Doedd arna i ddim isie mynd adref. Roedd arna i isie mynd i'r sinema gyda Tom. Gallwn synhwyro'i phresenoldeb dros y ffôn, yn unig ac yn chwerw. Doedd hi ddim wedi ateb 'y nghwestiwn i ond doedd hi ddim wedi rhoi'r ffôn i lawr.

'Wel, wela i chi nes 'mla'n 'te,' meddwn i, a rhoi'r ffôn i lawr.

Fe gawson ni sosej a chips a tomatos cyn mynd i'r sinema. Ar ôl cyrraedd, y cyfan a welais i ar y sgrin oedd trais. Roedd Tom â'i fraich amdana i, ac fe gusanon ni rhwng pob uchafbwynt gwaedlyd. Roeddwn i'n anghysurus iawn wrth orfod hanner troi tuag ato fe yr holl amser. Ond doedd arna i ddim isie iddo fe feddwl 'mod i'n trio symud oddi wrtho, felly fe arhosais yn llonydd ac yn anghysurus. Saethodd rhyw ddyn rhyw ddyn arall —rown i wedi colli pob diddordeb yn y stori erbyn hyn—ac fe ffrwydrodd ei wyneb yn gawod o waed. Fe driais f'atgoffa'n hunan taw ffilm oedd hi, a taw twyll oedd y cyfan. Ond roedd e'n erchyll. Caewn fy llygaid bob tro roedd rhywun yn anelu dryll.

'Yffach, edrych ar hwnna!' meddai Tom.

Cuddiais fy wyneb yn erbyn ei ysgwydd a chrwydrodd ei law y tu mewn i 'mlows. Roedd defnydd y sêt yn crafu 'nghluniau i. Fan'no yn y tywyllwch teimlwn yn agos iawn ato fe. Sylweddolais hefyd nad oedden ni erioed wedi bod yn gyfan gwbwl ar ein pennau'n hunain mewn stafell.

Fe alwon ni mewn tafarn ac yna cerdded adref yn araf. Meddyliais wrth sefyll o dan y lamp falle fod pethau'n eitha da rhyngon ni unwaith eto. Roedd e wedi egluro ynglŷn â nos Sul ac wedi cynnig rhyw fath o ymddiheuriad. Roedd e hyd yn oed wedi arddangos rhywfaint o emosiwn. Derbyniwn ei ddymuniad e i gadw pethau rhyngon ni led braich ac i *ddiodde* 'ngharіad i. Allwn i ddim honni taw hwn oedd y trefniant gorau yn y byd, ond y dewis oedd bod yn anhapus yn ei gwmni neu'n anhapus hebddo. Ac mewn rhyw ffordd od roedden ni'n deall ein gilydd.

'Beth ti'n neud fory?' holais. 'Sdim gwaith 'da fi dydd Sadwrn.'

'Wel ma' gwaith 'da fi yn y bore. Wedyn ma'n rhaid i fi aros gartre achos y beic. Wedes i ddim 'thot ti naddo fe. Ma'r Triumph yn barod. Fydd e ar werth yn y papur fory.'

'O gwd!'

'Rois i gyfeiriad 'yn mêt. Sdim lle i gadw beic yn y fflat. Fydd raid i fi aros 'na drw'r dydd, rhag ofan.'

Doedd e erioed wedi dweud wrtha i beth oedd enw'r 'mêt' 'ma, na'i gyfeiriad. Doedd e ddim o 'musnes i mae'n amlwg.

'Ma'n rhaid i ti drafod 'da pobol ti'n gweld, ne' chei di byth mo'r pris ti'n gofyn.'

'Beth ti'n neud yn y nos 'te? Os fyddi di 'di gwerthu'r beic wrth gwrs.'

Sylweddolais yn syth 'mod i wedi mentro'n rhy bell. Atebodd e ddim am funud. Syllais lan i'r goeden laburnum a chlywed Mam yn canu'r piano yn y tŷ. Fe drodd e ata i.

'Drycha,' meddai, 'pryd wyt ti'n mynd i ddeall? Paid â thrio hwpo pethe'n rhy glou. Ti'n ferch neis—a wy'n dy lico di. Ond sdim isie i ni ga'l 'yn clymu, reit? Dim fi bia ti. Dim ti bia fi. Ma'n rhaid i ni ddeall 'yn gilydd, iawn?'

'Iawn. Wy'n deall yn iawn beth ti'n weud.'

Rown i'n dechrau crynu.

'A ma' popeth ti'n weud wrtha i'n iawn,' ychwanegais yn grac. 'Popeth. 'Na'r drafferth ontefe!'

Rhedais i'r tŷ a lan i'm stafell. Rois i 'mo'r golau 'mlaen. Syllais drwy 'nagrau drwy'r ffenest, lawr drwy ddail y laburnum a oedd yn siffrwd yng ngolau'r lamp. Gwelais ei wyneb yn glir wrth iddo blygu'i ben i gynnau sigarét. Taflodd y fatsien i'r gwter a cherddded i ffwrdd.

12

Drannoeth doedd arna i ddim chwant codi. Dydd Sadwrn oedd hi, a doedd 'na ddim i edrych 'mlaen ato. Roedd Dad wedi bod mas yn hwyr gyda'i gariad wallt tywyll. Gallwn weld ei hwyneb yn gwenu'n gariadus arno wrth iddo fe ddal ei chot yn barod iddi. Doedd arna i ddim isie meddwl am y peth ond roedd hi'n anodd anghofio.

A Tom. Roedd e wedi gwneud ei hunan yn hollol glir. Doedd 'na ddim pwynt mewn twyllo'n hunan mwy. Roedd popeth drosodd. Yr unig beth ar ôl oedd trio anghofio.

Doedd dim bai arno fe am beidio â 'ngharu i. Doedd dim bwriad 'da fe i fod yn greulon. Roedd e wedi trio'n galed i osgoi bod yn greulon. Fi ddifethodd y cyfan wrth ei wthio fe, wrth wneud iddo deimlo'i fod wedi'i glymu. Ystyr cariad i fi oedd rhannu popeth—teimladau, cyfrinachau, eiddo—heb ddal dim 'nôl. Rhywbeth gwahanol iawn oedd cariad iddo fe. Roedd e'n rhywbeth roedd e'n ei ofni.

Roedd ei fam wedi gadael cartref. Mae'n rhaid ei bod hi'n teimlo nad oedd neb yn ei charu. Dyn treisgar, byr ei dymer oedd ei dad. Er ei holl hyder ymddangosiadol, roedd Tom yn osgoi dangos unrhyw emosiwn. Roedd angen rhywun â môr o amynedd a chariad dwfn i ennyn ymddiriedaeth ynddo, yn union fel y byddai rhywun yn mynd ati i ddofi merlyn gwyllt. Ond ai fi oedd y 'rhywun' honno?

Syllais ar y nenfwd lle'r oedd 'na dri neu bedwar pryfyn yn troelli rownd y lamp. Bob tro y bydden nhw'n cwrdd fe fydden nhw'n gwahanu'n sydyn, pob un yn dilyn ei lwybr ei hunan, cyn dod 'nôl unwaith eto i ailddechrau'r patrwm. Roedd raid i fi anghofio amdano fe. Roedd raid i fi ei gau e mas o'm meddwl, a dianc 'nôl i 'myd bach fy hunan fel y bydd malwoden yn dianc 'nôl i'w chragen. Ond roedd hynny'n gyfystyr â marw.

Canodd y ffôn. Clywais Mam yn ei ateb ac yna'n gweiddi arna i fod ar Bernard Evans isie gair â fi. Neidiais o'r gwely a gwisgo 'nghimono.

Roedd ei lais e'n byrlymu.

'Gwranda, beth ti'n neud prynhawn 'ma?'

'Dim byd.'

'Gwd. Ti 'di clywed am Michael Bancroft? Na? Dim ots. Un o'r bois tynnu llunie gore sy i ga'l. Ma' fe'n wych. Ddylet ti weld 'i lunie fe. Beth sy arna i? Fe 'nei di. Alli di ddod 'ma'r prynhawn 'ma? Ma' fe'n dod i dynnu llunie ar gyfer y catalog.'

'Faint o'r gloch?' gofynnais gan obeithio 'mod i'n rhoi'r argraff fod pethau fel hyn yn digwydd bob dydd.

'Hanner awr wedi dou. Na, tri. Fydd e ddim 'ma tan dri. Iawn?'

'Iawn,' meddwn i. Ac fe roddodd e'r ffôn i lawr.

Fe es i i'r bath a rhoi mwy o liw ar 'y ngwallt. Wedyn es i lawr i'r gegin. Roedd Dad yn darllen y papur, a Mam yn tynnu dillad o'r peiriant golchi.

'John, ma'n rhaid i ti neud rhwbeth â'r hen stwmpyn 'na wrth y shed,' meddai hi.

'Mm . . .' meddai e wrth ei bapur.

'Beth yw'r pwynt torri coeden lawr heb roi *creosote* i ladd y gwreiddie? Ma' blagur newydd wedi bod yn tyfu arno fe drw'r haf. Ma' isie neud rhwbeth heddi, reit?'

'Reit!' cytunodd yn ddigon hapus, ac ar ôl iddi fynd mas

i'r ardd fe ddwedodd, 'O'n i'n gwbod yn iawn y bydden i'n 'i cha'l hi am hynna!'

Atebais i ddim. Fel arfer fe fyddwn i wedi ymateb yn ysgafn. Ond nawr doeddwn i ddim isie ochri gydag e yn erbyn Mam. Wnawn i byth mo hynny eto.

Rhag iddo fe ddechrau trafod y peth ymhellach dwedais 'mod i'n mynd i weithio fel model i Bernard yn y prynhawn. Roedd e'n llawn diddordeb.

'Fe wedodd Jack bo' Bernard yn lico dy wallt di. Wyt ti'n gwmws beth ma'n nhw isie siŵr o fod. Rhywun sy'n rhan o'r "cult" newydd 'ma am wn i. Ti'n dod 'mla'n yn iawn 'da nhw?'

'Odw sbo. Dyn busnes yw Bernard ond ma' Mr Evans yn foi neis iawn. A wy'n lico'i wraig e.'

'Meira. Ie, menyw neis iawn yw hi. Wedi ca'l amser caled pan o'dd hi'n ifanc cofia. Cefndir anodd ofnadw. Ond dyw hi byth yn sôn amdano fe. Ma'n well 'da hi drio anghofio amdano fe siŵr o fod.'

Fe glywon ni lais Mam yn gweiddi.

'John! Beth am y stwmpyn 'ma?'

Plygodd ei bapur a'i roi ar y ford.

'Wela i di nes 'mla'n,' meddai.

A mas â fe i'r ardd.

'Grêt! Ti'n edrych yn ffantastic!' meddai Bernard wrtha i pan gyrhaeddais.

Doeddwn i ddim yn teimlo'n ffantastic, er 'mod i wedi mynd i drafferth mawr gyda 'ngwallt a'n *make-up*. Roedd fy meddwl i'n troi mewn cylchoedd poenus diddiwedd rownd Dad a Tom. Roedden nhw'n troi a throi fel y pryfed ar nenfwd fy stafell.

Rown i'n awyddus i drafod lot o bethau gyda Dad ond

roedd 'na wal rhyngon ni oherwydd ei dwyll. Roedd arna i isie trafod Dad gyda Tom ond doedd Tom ddim ar gael. Fyddwn i byth eto'n trafod dim gydag e. Clywais ddyn unwaith yn Caffi Ron yn galw'i wraig yn '*my other half*'. Gwneud sbort am ei phen hi oedd e, ond roedd e'n ddywediad bach neis. Roedd angen eu 'hanner arall' ar bobol. O leia roedd ei angen arna i. Roedd arna i isie llefen.

Roedd y meinciau yn y gweithdy wedi cael eu symud o'r neilltu er mwyn cael mwy o le. Roedd 'na ddyn â'i wallt yn britho yn sefyll ar un ohonyn nhw yn gosod golau 'spot' ar stand.

''Ma hi'r groten fach bert,' meddai Bernard wrtho fe. 'Sali Bowen. Sali, 'ma Michael.'

Llygadodd Michael fi'n fanwl am rai eiliadau cyn dweud, 'Neis. Neis iawn. Ti 'di neud gwaith fel hyn o'r bla'n?'

'Naddo.' Ymdrechais 'y ngorau glas i wenu.

'Sdim ots. Fe ddysgi di'n ddigon clou. Well i ni ddechre.'

'Reit,' meddai Bernard. 'Dere, alli di newid yn y swyddfa.'

Doedd e ddim yn lle preifet iawn i newid, â'r holl ffenestri'n edrych mas ar y gweithdy. Ond sylweddolwn nad oedd Bernard na Michael yn f'ystyried i fel merch unigol. Rhywun i wisgo'r dillad oeddwn i iddyn nhw.

'Nawrte, hon gynta,' meddai Bernard a gafael mewn ffrog *jersey* las. 'Ti isie help?'

'Dim diolch.' Rown i'n casáu lliw'r ffrog.

'Iawn. Dere di mas pan ti'n barod.'

Doedden nhw ddim yn hapus pan gerddais i mas o'r swyddfa.

'Rhy fowr,' meddai Michael.

'Dim problem,' meddai Bernard. 'Tro rownd, Sali.'

Cydiodd yng nghefn y ffrog a rhoi pinnau ynddi'r holl ffordd i lawr. Teimlwn fel taswn i wedi cael f'arllwys iddi.

''Na welliant,' meddai Michael.

Roedd 'na oleuadau llachar yn disgleirio arna i o bob cyfeiriad.

'Beth odw i fod neud?' holais yn nerfus.

'Symud,' meddai Michael. 'Cerdded, troi, eistedd, pwyso yn erbyn y stôl uchel 'na, gwenu arna i, gwenu lan at y to. Fe weli di bo' 'na rythm iddo fe. Edrych . . .'

Dechreuodd brancio dros y lle fel tasai fe mewn pantomeim. Fe fyddwn i wedi dechrau chwerthin oni bai 'mod i'n teimlo mor fflat a bod y cyfan fel breuddwyd.

'Reit, tria di neud yr un peth,' meddai, a mynd i sefyll y tu ôl i'w dripod. Rown i'n cael yr argraff nad oedd e'n hoff iawn ohona i.

Fe driais i wneud yr un peth. Teimlwn yn hollol ddwl.

'Alli di ddim gwenu, cariad?' holodd Michael, ar ôl edrych yn hir arna i, heb dynnu'r un llun. 'Ti'n edrych fel taset ti'n mynd i angladd. Dere nawr, un, dou, tri, pedwar, ma' hi'n ddwyrnod bach braf. Ti'n hapus, dere. Ble ma'r miwsig 'na, Bernard?'

Fe roeson nhw gân pop 'mlaen. Roedd e'n help, ond dim llawer. Gwenais yn ddwl ar y wal a'r to ac unrhyw le arall roedden nhw am i fi wenu arno fe. Ochneidiodd Bernard.

'Beth sy'n bod arnat ti? Ti ddim yr un un ag o't ti ddo'! O's rhwbeth wedi digwydd?'

'Nag o's, dim byd,' atebais. Pam oeddwn i wedi bod mor ddwl â chytuno i wneud hyn?

Pwy ddaeth i mewn ond Mr a Mrs Evans. Roedd basged

fawr ar ei braich hi ac fe gusanodd hi Bernard a gwenu arna i.

'Shwt ma' hi'n mynd 'ma, Sali fach?' holodd Mr Evans.

Edrychodd Bernard a Michael ar ei gilydd ac fe ddwedais i, 'Ofnadw.'

'Ma' fe'n beth anodd iawn 'i neud,' meddai Mr Evans. 'Ma' hi'n anodd bod yn naturiol pan ti'n trio bod yn naturiol.'

Ochneidiais a phenderfynu na allwn i siomi'r bobol 'ma, na siomi fi'n hunan.

'Reit 'te, gwên fowr,' gorchmynnodd Michael.

Wrth i fi symud i gyfeiliant y miwsig roedd e'n clicio'r camera'n gyflym dro ar ôl tro. Pam oedd raid iddo fe dynnu cymaint o luniau?

'Reit,' meddai o'r diwedd, 'tria'r un nesa.'

'*Jumpsuit*,' meddai Bernard. 'Mam, allwch chi'i helpu hi?'

Daeth Meira gyda fi i'r swyddfa a thynnu'r pinnau mas o'r ffrog ac agor y zip.

'Peidwch â'i thynnu hi dros 'ych pen rhag ofan i chi spwylo'r gwallt a'r *make-up* neis 'na.'

Fe helpodd hi fi i wisgo'r siwt fach felen â streipiau coch a glas.

'Ma'n rhaid i chi edrych yn hapus yn hon,' meddai. 'On'd o's e?'

Yr eiliad nesaf rown i yn fy nagrau.

'O, 'na fe, 'na fe,' meddai. 'Steddwch nawr, a gwedwch wrtha i beth sy'n bod.'

Cydiodd mewn bocs o Kleenex a dechrau'u tynnu nhw mas un ar ôl y llall. Fyddwn i wedi chwerthin taswn i ddim yn llefen cymaint. Sylweddolwn fod y dynion yn y gweithdy'n gallu 'ngweld i'n glir. Eisteddodd Meira wrth f'ochr i a rhoi'i braich amdana i. Roedd hi gymaint llai na fi ac rown i'n teimlo'n anferth ac yn ddwl.

'Gwedwch wrtha i,' meddai. 'Dim jyst y busnes 'ma heddi sy'n 'ych becso chi ife. Ma' rhwbeth arall. Rhyw grwt falle. Ne' rhwbeth i neud â'r teulu. Dewch, gwedwch.'

'Y ddou,' meddwn gan hanner chwerthin ar ddoniolwch y peth.

'Alla i ddeall trwbwl cariadon yn iawn,' meddai. 'Ma' bod mewn cariad fel bod yn dost. Chi'n goffod 'i ddiodde fe nes bod e'n mynd. Ambell waith ŷch chi'n dod drosto fe'n llwyr. Ambell waith ma' fe'n gadel creithie. Ond dyw creithie ddim yn neud dolur.'

Edrychais ar ei hwyneb crych a'i llygaid tywyll. Sawl craith oedd hi'n ei chuddio tybed?

'Beth arall?' holodd wedyn. 'Rhyw drwbwl 'da'ch tad?'

Llifodd y dagrau unwaith eto. Cerddodd Mr Evans i mewn. 'O diar, diar!' meddai.

'Jack, ma' Sali'n becso am 'i thad,' meddai Meira.

'O'n i'n meddwl bo' rhwbeth ar 'ych meddwl chi dydd Iau,' meddai'n addfwyn. 'Beth 'ma fe 'di bod yn neud, Sali?'

'Ma' fe'n gweld rhyw fenyw arall.'

Unwaith rown i wedi'i ddweud e, doedd yr holl beth ddim yn swnio cynddrwg. Edrychodd Jack a Meira ar ei gilydd.

'Odych chi wedi trafod y peth 'da fe?' holodd Jack.

'Naddo. Alla i ddim siarad ag e. Er bo' fi isie yn ofnadw.'

Roeddwn i wedi rhoi 'y mys ar yr hyn oedd yn fy mhoeni fwyaf.

'Wel,' meddai Jack, gan eistedd wrth ochr Meira a finnau, 'allwch chi drafod 'da ni. Dim bo' ni isie busnesu cofiwch. Ond os odyn ni am ddod i nabod 'yn gilydd a gweitho 'da'n gilydd, ma' hi'n syniad da i rannu gofidie'n gilydd. A'r peth cynta licen i weud wrthoch chi yw bod 'ych tad yn meddwl y byd ohonoch chi. Ma' fe'n sôn amdanoch chi bob tro y byddwn ni'n cwrdd. Sara hyn a Sara llall yw hi o hyd—ne' Sali, nawr bo' chi 'di newid 'ych enw wrth gwrs.'

Am y tro cyntaf roeddwn i bron â difaru 'mod i wedi mynnu newid f'enw. Falle 'mod i wedi gwneud rhywbeth ansensitif.

'Fe ddweda i rwbeth arall wrthoch chi hefyd,' meddai Jack. 'Ŷch chi'n hollol iawn. Ma ffrind—spesial—'dag e. Odych chi wedi'u gweld nhw 'da'i gilydd?'

'Do, mewn *restaurant*. Ma' gwallt tywyll 'da hi.'

''Na chi. Llinos Williams. Fe laddwyd 'i gŵr llynedd. O'dd e'n dreifo pan o'dd e wedi'i dal hi'n rhacs. O'dd e'n neud hynny'n eitha amal ma'n debyg. Do'dd Llinos ddim wedi ca'l bywyd hawdd iawn 'dag e. Ma'ch tad a hithe'n nabod 'i gilydd ers blynydde. Blynydde maith.'

'O grêt,' meddwn. 'Fe ddyle fe fod yn haws 'i dderbyn am bo' fe'n rhwbeth sy'n mynd 'mla'n ers blynydde!'

Cydiodd yn fy llaw. 'Ma' cariad yn beth od,' meddai. 'Allwch chi ddim 'i reoli fe.'

''Na'n gwmws beth wedes i wrthi! Ma' fe fel salwch.'

Erbyn hyn roedd Bernard yn sefyll yn y drws. Man a man i bawb ymuno yn y parti bach 'ma meddyliais yn sur.

'Cariad?' meddai fe. 'Salwch ma' Mam wedi'i alw fe erio'd. O'dd hi'n greisis teuluol bob tro o'n i'n dod â merch newydd i'r tŷ. Ond gwranda, ma' Michael isie mynd o 'ma am whech. Iawn?'

Doedd e ddim fel tasai'n synnu fy ngweld i'n llefen.

Falle'i fod e'n hen gyfarwydd â gweld merched yn ymddwyn fel hyn. Gwenodd yn garedig arna i.

'Pan ti'n barod, cariad. Cymer d'amser.'

A mas â fe.

'Peidwch â gwrando arno fe,' meddai Meira. 'Gwrandwch chi arna *i*. Pan fydd rhywun mewn cariad ma'n nhw'n credu nad o's neb arall wedi diodde'r un peth. Ma' fe'n rhwbeth mor gryf, mor llethol. Odych chi'n cytuno?'

'Odw.'

'Wel ma'n rhaid bo' chi'n deall busnes 'ych tad a Llinos 'te.'

'Nagw! Dim Dad. Ma' fe'n hŷn. A ma' fe'n briod.'

'Ond ma' fe'r un peth yn gwmws!' meddai Meira. 'Allwch chi ddim stopo caru rhywun. Yn enwedig os nad o's 'na reswm.'

'Wy'n deall hynny,' meddwn i'n ddiflas. 'Ond os yw e'n meddwl gymint o'r Llinos 'ma, pam na fydde fe wedi'i phriodi hi yn lle Mam?'

Ddwedodd y naill na'r llall ddim byd. Am y tro cyntaf synhwyrais fod 'na rywbeth y byddai'n well 'da nhw beidio â'i grybwyll.

'O'dd 'na reswm da,' meddai Jack yn dawel.

Ac fe ddeallais i'r cyfan.

'Fe briododd e Mam am 'i bod hi'n disgw'l?' gofynnais. 'Am bo' *fi* ar y ffordd?'

Edrychon nhw ar ei gilydd.

'Ma' fe'n digwydd i lot o bobol,' meddai Meira. 'A ma' fe'n rheswm da dros briodi. O'dd y ddou ohonyn nhw isie'ch ca'l chi. Ma'r ddou ohonyn nhw'n 'ych caru chi.'

'Wy'n gwbod.'

Roedd hyn yn egluro cymaint o bethau. Druan â Dad. Druan â Mam. A wedyn fe sylweddolais i rywbeth arall.

'Os o'dd e mewn cariad â Llinos cyn iddo fe nabod Mam,' meddwn, 'ond 'i fod e wedi goffod priodi Mam . . .'

Roeddwn i'n difaru 'mod i wedi dechrau dweud beth oedd ar fy meddwl.

'. . . O'dd e'n twyllo Llinos on'd o'dd e?'

Yn fy meddwl gwelwn Tom a'r ferch wallt tywyll yn dod mas o'r stafell 'na'n gwenu ar ei gilydd. Oedd caru rhywun yn golygu'ch bod chi bob amser yn cael dolur?

'Dyw pethe byth yn berffeth,' meddai Meira'n dawel. 'Ma' pawb yn gneud y gore gallan nhw. Cariad o ryw fath sy'n 'yn cynnal ni i gyd, ac ar y pryd ŷn ni'n credu bo' rhesyme da 'da ni dros neud pethe. Dim ond wrth edrych 'nôl ŷn ni'n gofyn pam.'

Edrychodd Bernard drwy'r ffenest. Doedd dim amser i drafod dim mwy.

'Ma' golwg ar 'yn wyneb i!' meddwn i.

'Rhowch ddigonedd o ddŵr oer drosto fe,' meddai Meira. 'A wedyn lot o *fake-up*. A gwenwch.'

A dyna beth wnes i.

'Grêt!' meddai Michael. 'Ffantastic!'

Stopiodd e ddim clebran yr holl amser rown i'n prancio yn y *jumpsuit* felen. Ar ôl y rhyddhad o gael trafod â rhywun rown i fel taswn i'n byrlymu â rhyw egni trydanol, gwyllt. Rhuthrais mewn a mas o'r swyddfa i newid o un dilledyn i'r llall gyda help Meira. Hi oedd yn eu tynnu nhw oddi ar yr hangers, yn eu hongian nhw'n ôl yn deidi, yn gofalu bod 'y ngwallt i'n iawn ac yn rhoi powdwr ar 'y nhrwyn.

'Dyw trwyne sy'n sheino ddim yn bert,' meddai hi.

'Rho gân i ni!' meddai Michael, ac fe ganais. 'A beth am

ddawns fach?' meddai wedyn. 'Cer am yr haul! Grêt! Grêt!'

O'r diwedd fe ddaethon ni i ben. Diffoddodd Michael y goleuadau am y tro diwethaf ac fe suddais i i gadair yn y swyddfa, yn rhy flinedig i wisgo 'nillad. Roedd Meira wedi diflannu ond cyn hir fe ymddangosodd â choffi a chacen siocled. Heb unrhyw ffŷs fe ddaliodd hi fy nillad i fi tra oeddwn i'n eu gwisgo.

Rhoddodd Bernard ugain punt yn fy llaw i.

'Diolch i ti, cariad. O't ti'n grêt. Jyst rhwbeth dros dro yw hwn. Gei di dipyn mwy os alli di neud yr un peth 'to.'

'Peidwch chi â mynd yn fodel,' cynghorodd Meira. 'Ma'r arian yn dda. Ond sdim dyfodol iddo fe. A beth sda chi ar ddiwedd y dydd? Dim byd.'

'Ta beth,' meddwn i, 'wy isie *neud* dillad, dim 'u gwisgo nhw.'

Erbyn i Michael bacio'i stwff i gyd roedd hi wedi tywyllu.

'Beth am i bawb ddod aton ni i ga'l swper?' awgrymodd Meira.

'Dim diolch,' meddai Bernard. 'Ma' Lil a fi'n mynd mas i swper.'

'Sali, fe ddoi di 'te. Michael, beth amdanat ti?'

'Wy'n goffod gweitho heno, sori. Rhyw gino posh.'

Fe ffôniais adref i ddweud y byddwn i'n hwyr. Dad atebodd ac ar ôl i fi egluro beth oedd yn digwydd roedd 'na saib. Roedd arna i isie dweud rhywbeth wrtho fe, ond doeddwn i ddim yn siŵr beth. O'r diwedd gofynnais, 'Ody'r stwmpyn wedi mynd?'

'Ody,' atebodd. 'Roith hwnna ddim trwbwl i ni 'to. A diolch am ffôno, cariad.'

Roedd 'na dawelwch dierth rhyngon ni o hyd.

'Iawn,' atebais. 'Hwyl nawr 'te.'

Roeddwn i wedi cymryd yn ganiataol mai uwchben y siop yr oedd Mr a Mrs Evans yn byw. Ond i fflat fawr foethus ar ffordd Abertawe yr aethon ni'r noson honno. Roedd y lle'n llawn o ddodrefn trwm, henffasiwn, ond doedd e ddim wedi'i orlwytho fel y stafell fach y tu cefn i'r siop. Roedd Meira wedi paratoi ffowlyn a reis ac fe fuon ni'n trafod dillad a ffasiwn a chynllunwyr am oriau. Fuon ni ddim yn trafod problemau teuluol, ac roeddwn i'n falch. Doedd 'na fawr mwy i'w drafod beth bynnag, a doedd arna i ddim isie iddyn nhw ddechrau f'ystyried i fel 'problem'. Fe fyddai hynny'n annioddefol. Roedd hi'n llawer mwy pleserus gwrando arnyn nhw'n dweud straeon doniol am fodelau surbwch a menywod cyfoethog a oedd yn gwrthod cyfaddef eu bod nhw'n mynd yn dew. Roedd hi'n noson fendigedig.

Pan o'n i ar fin gadael fe gusanodd y ddau fi. Roedd hi'n weithred mor naturiol er na fyddwn i'n breuddwydio cusanu neb—ond Dad. A Tom.

'Ma'r holl gusanu a'r cwtsho 'ma'n neis!' meddwn i.

'Wrth gwrs 'i fod e,' cytunodd Meira. 'Fydde hi'n neud lles mowr i lot o bobol tasen nhw'n neud yr un peth.'

Meddyliais am Mam, wedi'i chloi yn ei hunigrwydd chwerw. Roedd cyffwrdd pobol yn anathema iddi.

'Cofiwch, Sali,' meddai Meira, 'peidwch â chadw'r pethe 'ma i chi'ch hunan. Ma' croeso i chi'u rhannu nhw 'da ni pryd bynnag ŷch chi isie. *Os* ŷch chi isie wrth gwrs.'

'Cario 'mla'n i weitho sy'n bwysig,' meddai Jack. 'Ma' probleme 'da pawb, ond dy'n nhw ddim yn ddiwedd y byd nes iddyn nhw ga'l effeth ar 'ych gwaith chi.'

Doeddwn i ddim yn siŵr a oeddwn i'n cytuno.

'Ma' fe'n iawn,' meddai Meira. 'Yn hollol iawn. Gewch chi weld.'

Fe fues i'n ystyried y peth ar y ffordd adref ar y bỳs. Deallwn beth oedd Jack yn ei olygu ond roedd y cyfan yn dibynnu ar y math o waith oeddech chi'n ei wneud. Yn y siop sgidiau, arian oedd yn bwysig, a gwastraff amser oedd y cyfan heblaw bod 'na dâl ar ddiwedd yr wythnos. Ond pan o'n i'n gweithio ar gynllun neu'n gwnïo, rhown fy holl egni i'r peth gan ei fod mor bwysig i fi. Roedd hi'n anodd egluro pam, hyd yn oed i fi'n hunan. Falle 'mod i'n trio mynegi'n hunan drwy gyfrwng rhywbeth fyddai'n cael ei weld a'i werthfawrogi gan bobol eraill. Doedd arian ddim yn rhan o waith fel'na. Tasai arian yn digwydd deillio ohono, popeth yn iawn, gan y byddai hynny'n golygu na fyddai raid i fi wneud rhyw waith arall, llai diddorol. Roedd y gwaith rown i'n mwynhau'i wneud yn mynd â 'mryd i'n llwyr. Eilbeth oedd Tom hyd yn oed. Ond wrth edrych 'nôl dros yr wythnosau diwethaf roedd raid i fi gyfaddef nad oeddwn wedi gwneud fawr ddim ond meddwl am Tom. Yr unig droeon i fi wneud ymdrech i roi rhywbeth ar bapur oedd pan driais dynnu lluniau ohono, a hynny heb fawr o lwyddiant.

Ar ôl dod oddi ar y bỳs cerddais lan y stryd. Roedd 'na olau yn ffenest y siop sgidiau a sylwais fod Mrs Morris wedi'i llenwi hi â sgidiau ysgol yn lle sandalau a sgidiau-lan-y-môr. Diolch byth nad oedd raid i fi stwffio hen draed bach i sgidiau trwm, anghyfforddus.

Fe ddes i i olwg y Plumber's, ac fe gofiais am y tro cyntaf i fi fynd 'na gyda Tom, ar ôl i ni ddod 'nôl o Landeilo. Rown i'n oer ar ôl bod ar y beic, er ei bod wedi bod yn ddiwrnod braf iawn. Erbyn hyn roedd y dyddiau'n tynnu i mewn a'r boreau gwlithog yn fain.

Agorodd drws y bar a daeth merch mas. Sylweddolais taw Liz oedd hi ac rown i mor falch o'i gweld. Ond cyn i fi gael cyfle i alw arni sylweddolais nad Gary oedd y bachgen ddaeth mas y tu ôl iddi, ond Tom.

Fe ddechreuon nhw gerdded ar hyd y stryd ac fe roddodd e'i fraich am ei hysgwydd. Gallwn deimlo'r fraich yna, gallwn synhwyro'r got ledr. Yn reddfol trois i mewn i ddrws siop oedd yn ymyl rhag iddyn nhw ddigwydd troi a 'ngweld i. Ac eto doedd 'na ddim rheswm pam y dylwn *i* deimlo'n euog.

Syllais yn hir ar lond ffenest o ddillad gwely *flannelette*. Roeddwn i'n berwi. Roedd 'da Liz dipyn o waith egluro i'w wneud. Roedd teimlo dicter ati hi'n f'achub i rhag suddo i gors hunandosturi, ac rown i'n gwneud yn fawr ohono.

O'r diwedd mentrais edrych lan y stryd. Roedden nhw wedi diflannu.

O leiaf allen nhw ddim mynd gyda'i gilydd ar y beic meddyliais yn llawn chwerwder, gan fod yr helmet yn saff yn fy stafell i. Ond dim ond ei benthyg hi i fi wnaeth e. Roedd e'n ei benthyg hi i'r ferch oedd yn digwydd bod ar y gweill ar y pryd siŵr o fod. Roedd 'na ferched wedi'i gwisgo hi o 'mlaen i. A nawr fyddai'n rhaid i fi ei rhoi hi i Liz. Gorau po gyntaf meddyliais yn gas.

Roedd Mam a Dad yn gwylio'r teledu yn y stafell fyw. Falle y bydden nhw'n gweld wrth fy wyneb bod rhywbeth difrifol wedi digwydd. Ond fuodd 'na ddim sylw, dim ond gofyn sut oedd pethau wedi mynd yn ystod y dydd ac a oeddwn i isie dishgled o de. Eisteddais gyda nhw'n yfed te ac yn trafod y sesiwn tynnu lluniau. Roedd y cyfan yn normal iawn. A thrwy'r amser rown i'n galw fy 'ffrind' Liz yn bob enw dan yr haul.

'Ma'n rhaid i fi ffôno Liz,' meddwn i'n sydyn.

'Nawr, yr amser 'ma o'r nos?' holodd Mam.

Chymerais i ddim sylw. Roedd raid i fi gael gwybod a oedd Liz wedi cyrraedd adref. Codais y ffôn a deialu. Canodd yn hir. O'r diwedd fe atebodd ei mam.

'Ody Liz 'na?' holais yn ddigywilydd.

'Nag yw! A damo ti, ti'n gwbod bod hi jyst yn hanner nos? Ti 'di 'nhynnu i mas o'r gwely ti'n gwbod! Pam na alli di a dy siort feddwl am bobol erill.'

A thaflodd y ffôn i lawr.

Reit, 'na hi 'te. Roedden nhw wedi mynd 'nôl i fflat Tom. 'Dangos di pwy yw'r bòs' oedd cyngor Liz wedi bod. Reit, gawn ni weld. Heb unrhyw syniad beth o'n i'n mynd i'w ddweud, fe ddeialais rif Tom.

Fe ganodd e'n hir iawn. O'r diwedd fe atebodd rhyw lais cras. Roeddwn i wedi anghofio'n llwyr am ei dad.

'Sori am ffôno mor hwyr, ond wy'n whilo am ffrind i fi, Liz.'

'Odych chi nawr? Wel ma' isie stwffo'ch pen chi! Tom!' gwaeddodd. 'TOM! Ti 'na? Ma' un o dy blydi menywod di ar y ffôn! TOM!'

Roedd e'n gweiddi nerth esgyrn ei ben erbyn hyn.

'Dyw e ddim 'ma reit?' gwaeddodd i lawr y ffôn. 'Nawr *piss off!*'

Ac fe daflodd yntau'r ffôn i lawr.

'Nôl yn y stafell ffrynt roedd Dad yn diffodd y teledu. Llwyddais i ddal heb ddangos unrhyw emosiwn.

'Ddylet ti ddim ffôno pobol yr adeg 'ma o'r nos,' meddai Mam. 'Wir i ti, fydden i'n grac ofnadw tase rhywun yn 'yn ffôno i.'

'Mm . . . Ma'n siŵr y byddech chi,' cytunais yn flinedig.

13

Drannoeth, penderfynais beidio â ffôno Liz. Tasai'i mam yn ateb fe fyddwn i'n cael pregeth arall am neithiwr. Ond heblaw am hynny, doedd dim pwynt. Wyddwn i ddim beth yn y byd i'w ddweud. Roedd dicter neithiwr wedi troi'n iselder ysbryd llwyr.

Gwisgais fy nghimono a mynd i'r gegin i nôl coffi. 'Nôl yn fy stafell fe wisgais jîns a hen grys ac eistedd i drio gweithio ar rai o'm cynlluniau. Roedd 'na un ar ei hanner 'da fi ers amser. Cot mewn melfed gwyrdd tywyll oedd hi, ac ymyl satin iddi. Sylweddolwn y byddai hi'n llawer rhy ddrud i'w gwneud. Ond y bore Sul hwnnw doeddwn i ddim hyd yn oed yn credu'i fod e'n syniad diddorol. Roedd Mr Evans yn iawn. Roedd hi'n ddiwedd y byd unwaith fod problemau'n effeithio ar eich gwaith chi.

Syllais mas i'r ardd lle'r oedd Dad yn craffu ar stwmpyn y fasarnen. Gallwn weld y tyllau roedd e wedi'u gwneud ynddi, â staen y *creosote* yn llifo ohonyn nhw ar draws y pren golau. Roedd y blagur bach mentrus wedi dechrau crino'n barod. Aeth ton o dristwch drosta i wrth feddwl am y farwolaeth a heuwyd o flaen fy llygaid. Dechrau'r diwedd fel petai.

Roedd hi'n tynnu at amser cinio ac roedd gwynt cig yn codi o gyfeiriad y gegin. Doedd Liz ddim yn mynd i ddod, a hynny am y tro cyntaf ers dros flwyddyn. Rown i'n falch mewn gwirionedd. Ni fyddai raid i fi ddweud yr holl bethau cas oedd yn cronni yn 'y nghrombil. Ond rown i'n siomedig nad oedd hi wedi gallu fy wynebu i. Roedd e'n ddiwedd trist i'n cyfeillgarwch clòs ni.

Eisteddais ar y gwely. Rown i'n teimlo poen drosta i i gyd. Roedd popeth rownd i fi'n gwneud dolur i fi, popeth rown i'n ei deimlo, popeth rown i'n ei weld—yr haul ar y wal, y carped pinc, yr awyr rown i'n ei anadlu.

Cydiais yn 'O na byddai'n haf o hyd' o ganol y pentwr recordiau a'i rhoi i fynd ar yr hen gramoffôn. Doeddwn i ddim wedi'i chlywed hi ers amser. Eisteddais wrth y ffenest a gwrando ar y llais o'r gorffennol fel taswn i'n clywed ei dristwch am y tro cyntaf. Er gwaetha'r heulwen gynnes, teimlwn yn oer.

Roedd y gân ar ei hanner pan agorodd Liz y drws a chamu i mewn i'r stafell.

'Shw' ma'i!' meddai'n hapus. ''Na noson o'dd hi neithwr! Pedwar o'r gloch es i i'r gwely!'

Caeodd y drws y tu ôl iddi a phwyso'n ôl arno fe wrth iddi sylwi ar fy wyneb i. Y siaced felfed fawr ddu oedd amdani. Roedd y record yn dal i droi. Awyr las uwchben y byd.

'Fydde'n well 'da fi beido clywed am neithwr.'

'Beth ti'n feddwl?' Roedd ei hwyneb hi'n binc.

'Beth wy'n feddwl yw bo' fi wedi dy weld di a Tom yn dod mas o'r Plumber's neithwr.'

'Gwranda! Paid â meddwl . . . Sdim diddordeb 'da fi yn Tom!'

Roedd hi'n amlwg yn grac iawn. Ond roeddwn innau hefyd.

'O nag o's e!' gwaeddais. 'Dim ond tan bedwar o'r gloch y bore ife! Ond 'na fe, gan bo' ti ar y pil alli di ga'l unrhyw ddyn lici di!'

Daeth y record i ben ac fe drodd Liz i roi'r fraich 'nôl ar y clip. Wrth iddi godi'r record fe drodd 'nôl ata i a dweud, 'Ti fel plentyn bach ti'n gwbod!' Y peth nesa welais i oedd ei llawes hi'n dal yng nghaead y gramoffôn a hwnnw'n dod i lawr ar y record a'i thorri hi'n deilchion.

Roedd Liz yn dal i gydio mewn un darn. Daeth dagrau i'w llygaid hi'n syth.

'O Sali!'

''Na ddiwedd ar honna 'te,' meddwn i. ''Na ddiwedd ar bopeth. Fi a ti, fi a Tom . . .'

Ac fe lifodd y dagrau.

Gwyddwn tasai Meira gyda fi y byddai hi wedi cydio amdana i a 'nghofleidio. Byddai wedi rhannu'r galar gyda fi. Ac eto, yn ei ffordd ei hunan, roedd Liz yn rhannu'r galar hefyd, fel roedden ni wedi rhannu cymaint o bethau eraill.

Chwythodd ei thrwyn mewn Kleenex a dod i eistedd wrth f'ochr i. Roedd ei llygaid hi'n goch i gyd.

'Gwranda,' meddai, 'ma'n rhaid i ti ddeall beth ddigwyddodd neithwr. A'th gang ohonon ni'n strêt o'r gwaith i'r Plumber's. Ŷn ni'n neud yn amal ar nos Sadwrn. Pwy o'dd 'na ond Tom. O'dd e gyda rhyw foi yn trafod y beic ma' fe newydd 'i werthu.'

'O ie.' Doedd manylion fel hyn ddim yn bwysig i fi.

'Ta beth, o'dd rhyw ferch 'da'r boi 'ma ond o'dd Tom ar 'i ben 'i hunan. 'Na pam ddechreuodd e siarad â fi.'

'Liz, wy ddim isie gwbod . . .'

'Gwranda! O'dd e isie siarad ymbytu *ti*! O'dd e'n becso bo' ti'n mynd i ga'l dy siomi. O'dd e wedi meddwl i ddechre bo' ti'n gallu edrych ar ôl dy hunan ond ma' fe 'di sylweddoli bo' ti ddim mor galed ag wyt ti'n edrych. A dyw e ddim isie i ti ga'l dolur.'

'Hy!'

'Wir. Ma' fe'n styried mynd i'r *Merchant Navy*. 'Na pam dyw e ddim isie ca'l 'i glymu. Ond ma' fe'n meddwl y byd ohonot ti, Sali. Fydde pethe'n lot haws tase fe ddim. Ond ma' fe . . .'

'O grêt! Wedyn ar ôl 'yn nhrafod i fel hyn, bant â chi i'r gwely ife?'

'Nage!' Roedd hi'n trio peidio â cholli'i thymer. 'O'dd e isie gweld Gary er mwyn talu rhyw arian 'nôl iddo fe. Wedes i bo' fi'n mynd i gwrdd â Gary, ac y galle fe ddod 'da fi. A gweud y gwir . . . Wel, wy mwy ne' lai'n byw 'da Gary ti'n gwbod.'

'Na, o'n i ddim yn gwbod.'

'Ta beth, fe brynodd Tom botel o *gin* a bant â ni. Rhwng y *gin* a'r trafod a'r records o'dd hi'n bedwar erbyn i Tom fynd. Arhoses i 'da Gary.'

'Ond o'dd 'i fraich e amdanat ti.'

'Ti'n iawn. Ond 'na'r teip o foi yw e, ontefe? O myn yffach i Sali, paid â bod mor ddiniwed!'

Ddwedodd yr un ohonon ni'r un gair am amser hir.

'Sori, Liz,' meddwn i ymhen tipyn. 'Fues i'n ddwl. Ond ti'n deall pam on'd wyt ti? Ar ôl beth ddigwyddodd yn y parti 'na.'

'Odw. A fydden i 'di meddwl yn gwmws yr un peth. Wy'n sori hefyd—am d'ypseto di, ac am dorri'r record.'

Codais gaead y gramoffôn, a fan'ny oedd hi'n ddarnau bach duon.

'O'dd raid iddo fe ddigwydd rywbryd,' meddwn i. 'Man a man bo' fe 'di digwydd fel hyn, heddi.'

Dechreuais gasglu'r darnau.

'Beth ti'n mynd i neud ymbytu Tom 'te?' holodd Liz.

Arllwysais y darnau i'r fasged bapur a sefyll i edrych arnyn nhw.

'Fydd raid i fi drio'i anghofio fe.'

'Peido'i weld e 'to?'

'Ie . . .'

Fe es i draw at y ffenest ac edrych mas. Dim ots beth

rown i'n ei weld, dim ond poen rown i'n ei deimlo. Allwn i dyngu bod blagur bach y fasarnen wedi crino ychydig bach mwy. Wfft i'r hen symboliaeth sentimental 'ma, meddyliais.

'Ti'n neud y peth iawn,' meddai Liz. 'Falle mewn blwyddyn ne' ddwy . . . Ond ma' fe *yn* meddwl y byd ohonot ti, wir, yn 'i ffordd fach 'i hunan.'

'Ti'n credu 'ny? Gobeitho nag yw e, achos sdim digon o nerth 'da fi i ddod â'r peth i ben ar 'y mhen 'yn hunan. Tase fe'n cysylltu â fi, sdim dal . . . Ma'r peth yn ddwl wy'n gwbod. Wy'n rhydd i ddewis gneud yn gwmws fel lica i. Ond alla i ddim. Ma'n rhaid byw on'd o's e? A ma' bywyd yn cynnwys Tom. Ond wy ddim yn credu y bydd e'n trio 'ngweld i 'to. Ma' fe'n gryfach na fi. A ta beth dyw e ddim yn 'y ngharu i. Ma' hi'n hawdd iddo fe wedyn . . .'

'Aros i weld beth ddigwyddith. Falle gei di sioc. Gyda llaw, ma' Gary a fi'n mynd i Sweden wthnos nesa.'

'A finne i Saundersfoot. Ma'n rhaid i fi gofio gweud wrthyn nhw yn y gwaith.'

Fe fuon ni'n dawel am amser hir. Fel arfer fe fyddwn i wedi sôn wrthi am y sesiwn lluniau ond erbyn hyn roedd e i'w weld mor ddibwys.

'Fydd raid i ti drafod pethe 'da dy dad cyn mynd i Saundersfoot,' meddai Liz o'r diwedd.

'Bydd,' cytunais. Roedd y sgwrs ges i â Jack a Meira wedi taflu goleuni ar y mater.

'Wy wedi deall pam bo' Dad a Mam wedi priodi,' meddwn i, gan ddal i edrych drwy'r ffenest.

'Pam?'

'Achos fi. O'dd raid iddyn nhw. 'Na ti jôc ontefe, a meddwl mor barchus ma'n nhw!'

Doedd Liz ddim yn chwerthin.

'Os mêts . . .' wedodd hi. 'Ond o leia ti'n gwbod pwy yw dy dad.'

'Odw . . . Druan â Dad.'

Fe drois i o'r ffenest i edrych ar Liz. Ac yn sydyn fe wenon ni ar ein gilydd. Os mêts, mêts . . .

'Gwranda,' meddai Liz, 'ma lot 'da fi i neud gan bo' fi'n mynd bant wthnos nesa.'

'Iawn.'

Rhoddodd ei llaw ar 'y mraich a gofyn, 'Ti'n iawn?'

'Odw siŵr. Fel gwedest ti dim plentyn bach odw i ife?' Gwenais arni.

'Ti'n gwbod yn iawn bo' fi ddim 'di golygu 'na,' meddai. 'Wy'n mynd nawr. Wela i di wthnos nesa. Beth am ddydd Mawrth? Ma' dwyrnod bant 'da fi.'

'Dim cyn whech.'

'Iawn. Drefnwn ni rwbeth ar gyfer nos Fawrth.'

'Beth am Gary?'

'Jiw, jiw,' meddai'n ddiamynedd, 'dyw Gary a fi ddim yn gweld 'yn gilydd drw'r amser. Ma' 'na bobol heblaw Gary yn 'y mywyd i!'

Felly dyw hi ddim yn teimlo'r un peth ynglŷn â Gary ag ydw i ynglŷn â Tom, meddyliais. Nage—ag yr *o'n* i ynglŷn â Tom.

'Wela i di 'te,' meddai. 'Nos Fawrth.'

Ac fe wenodd hi'i gwên fach gomic. Roedden ni'n ffrindiau unwaith eto.

'Dere di draw fan hyn 'merch i, ne' fydd dim syniad 'da fi shwt i ga'l gafel ynot ti!'

'O.K. Hwyl!'

A bant â hi gan roi clep ar ddrws y ffrynt.

Roedd yr helmet ar y cwpwrdd, yn edrych fel rhywbeth o'r gofod yng nghanol y persawr a'r *make-up*. Fory byddai'n rhaid i fi fynd i'r gwaith a'i gadael hi yng nghaffi Ron ar y ffordd adref. Ond beth petai Tom 'na? Byddai'n well taswn i'n ffôno Tom i ddweud wrtho fe am alw amdani. Roedd raid i fi gael ei gwared hi rywsut, a gorau po gyntaf. Roedd hi'n drugaredd cael marw'n sydyn.

Gallwn glywed Mam yn gweiddi yn y gegin. Roedd Dad wedi mentro cynnig mynd mas am beint cyn cinio. Roedd e bob amser yn gofyn iddi hi fynd gyda fe, ond pregeth ynglŷn â grefi'n llosgi a bresych yn berwi'n sych oedd yr ateb bob tro. Roedd hi mor bitw, druan. Ie, druan â Mam.

Yn sydyn, heb feddwl ddwywaith, fe redais i i stafell wely Dad a Mam a oedd yn wynebu'r ffrynt. Edrychais drwy'r ffenest a gweld Dad yn cau'r gât yn ofalus y tu cefn iddo, fel tasai arno fe ofn cynhyrfu'r dyfroedd unwaith eto. Dechreuodd gerdded i lawr y stryd. Rhedais i lawr y staer a mas drwy ddrws y ffrynt. Rown i wedi'i ddal e cyn iddo fe gyrraedd y cornel.

'Helô,' meddai, yn amlwg yn credu bod Mam wedi fy hala i ar ei ôl e am ryw reswm.

'Alla i ddod 'da chi?' gofynnais.

'Wrth gwrs!' atebodd, wrth ei fodd, ac fe gynigiodd e'i fraich i fi gyda'r un cwrteisi roedd e wedi'i ddangos tuag at Llinos.

Allwn i ddim meddwl am ddim i'w ddweud. Rown i'n dechrau difaru 'mod i wedi dod. Pam na fyddwn i wedi aros i feddwl?

'Shwt ma'r Hell's Angel mowr 'na 'da ti?' gofynnodd yn sydyn. Mae'n siŵr nad oedd syniad 'da fe beth i'w ddweud chwaith. Ond roedd e wedi dewis cwestiwn bach anffodus iawn. Pan na chafodd ateb fe drodd i edrych arna i. Wedyn fe wasgodd e 'mraich i'n dynnach.

'Sori,' meddai. 'Fyddet ti'n meddwl y bydden i'n gallach ar ôl yr holl flynydde 'ma. Ddylen i ddim gofyn cwestiyne bach dwl. Ond cofia, os yw e o ryw gysur i ti, ma'r pethe 'ma'n digwydd i ni gyd.'

Roedd arna i isie gofyn iddo fe beth oedd e'n feddwl. Ond rown i'n credu 'mod i'n gwybod. Fe gerddon ni 'mlaen yn dawel nes cyrraedd y George.

'Beth am ishte yn yr ardd?' gofynnodd. 'Chewn ni ddim lot o ddyddie braf 'to ti'n gwbod. Beth licet ti?'

'Shandy, plîs,' atebais, gan feddwl tybed ai oherwydd 'mod i dan oed yr oedd yn well 'dag e beidio â mynd i'r bar. A finnau'n gwybod yn iawn 'mod i'n edrych yn ugain o leiaf! Ond wnes i ddim dadlau.

Es i draw i'r ardd lle'r oedd 'na ddau neu dri theulu'n eistedd wrth fyrddau gwyn. Roedd 'na gymylau bach yn cuddio'r haul bob hyn a hyn, ac roedd y gwynt yn ddigon main. Arllwysodd bachgen bach gynnwys ei becyn crisps i gyd dros y borfa. Tyfai blodau pinc a phorffor pert iawn wrth y ffens. Es i draw mor bell ag y gallwn i oddi wrth y teuluoedd ac eistedd wrth ford, a sychu'r dail oddi arni.

Cyn hir daeth Dad mas gan gario shandy i fi a pheint o chwerw iddo fe'i hunan. Eisteddodd i lawr yn ofalus ond doedd e ddim yn edrych yn gysurus iawn.

'Ma' hi'n dawel neis mas fan hyn,' meddai. 'Iechyd da!'

'Iechyd da!' meddwn i fel eco.

Felly nid yr awyr iach na'r ffaith 'mod i dan oed oedd yn gyfrifol am ei benderfyniad i eistedd mas. Isie rhywle preifet i drafod pethau'r oedd e.

Tynnodd ei walet mas o'i boced.

'Ma' hwn wedi bod 'da fi ers amser,' meddai. 'Wy'n bwriadu'i roi e i ti bob dydd.'

Tynnodd rywbeth bach o'i walet, rhywbeth mewn papur sidan, a'i roi e yn fy llaw.

'Un dy fam-gu oedd e. 'Yn mam i. Gobeitho y bydd e'n dy ffito di.'

Gwniadur oedd e, un bach arian, â phatrwm bach cywrain wedi'i dorri ynddo.

'Dad! Shwt o'ch chi'n gwbod? Ma'n nhw wedi gweud wrtha i yn y gwaith y dylen i ga'l gwniadur.'

Fe wisgais i fe ar y trydydd bys ar y llaw dde. Roedd e'n ffitio'n berffaith.

'Falle bo' dyn yn ddwl yn cadw'r hen bethe 'ma,' meddai dan wenu.

Roedd 'na dawelwch llethol am dipyn. Astudiais y gwniadur yn fanwl, a'i wisgo fe ar 'y mys a'i dynnu e sawl tro. Yfodd Dad beth o'i gwrw a rhoi'i wydr i lawr yn ofalus.

'Ti'n enjoio'r gwaith hyd yn hyn 'te,' dwedodd. 'Ma' hi'n gynnar 'to wrth gwrs.'

'O odw! Wrth 'y modd!' atebais yn ysgafn.

Distawrwydd eto. Fe yfais ddiferyn o'r shandy a chofio am y parti trychinebus wythnos gyfan 'nôl.

'Ma' Jack a fi'n dipyn o ffrindie,' meddai. 'Ers dyddie ysgol. O'dd 'y nhad a'i dad e'n nabod 'i gilydd. O'dd 'na ryw gysylltiad rhwng y teuluoedd. Ddeallodd dy fam byth pam o'n i'n dal i gadw cysylltiad â nhw. Do'dd dim bai arni falle. O'dd hi'n awyddus i fi dorri bant o'r hen gysylltiade, a chwrdd â rhai newydd. Dod 'mla'n yn y byd a phethe.'

Doeddwn i ddim yn barod i drafod Mam. Dim eto.

'Wedodd Jack bo' chi'n nabod 'ych gilydd.'

'O hen gadno yw Jack,' meddai. 'Sdim byd yn mynd heibo iddo fe. A gweud y gwir, wedodd e rwbeth od wrtha i pwy ddydd, pan ffônodd e i drafod beth o'dd e wedi'i gynnig i ti.'

'O?'

Felly dyma ni o'r diwedd. Roedden ni'n mynd i drafod y broblem fawr. Teimlwn fy hunan yn mynd yn dynn i gyd. Roedd Dad tipyn dewrach nag oeddwn i.

'Wedodd e 'i fod e'n credu bo' rhwbeth yn dy fecso di. Rhwbeth ymbytu fi.'

Doedd dim troi'n ôl nawr. Roedd rhaid dweud wrtho fe. Nawr.

'Wel,' meddwn i â'm llais fel llais dieithryn, 'fe wedoch chi wrth Mam am le byta da yn Abertawe, uwchben rhyw siop fwci.'

'Do . . .' Roedd e'n edrych yn graff arna i.

'Es i 'na gyda Tom. Wthnos i nos Wener dwetha.'

Doedd dim angen dweud mwy. Rhoddodd ei law dros f'un i a'i gwasgu'n dynn.

''Na beth i ddigwydd. Ma'n ddrwg calon 'da fi, cariad.'

Unwaith roedd yr iâ wedi'i dorri roedd hi'n haws trafod.

'Do'n i ddim wedi bwriadu gweud wrth Jack a Meira. Ond fe 'nes i, a wedyn fe drion nhw egluro cwpwl o bethe, 'na i gyd. Llinos Williams ontefe?'

Roedd hi'n od dweud yr enw 'na'n uchel ar ôl ei gadw fe i fi'n hunan ers dyddiau.

'Ie.' Rhoddodd ochenaid hir. ''Na fe 'te. Beth ŷn ni'n neud nesa? Ti ddim 'di sôn wrth Mam—na, wrth gwrs nag wyt ti.'

'Fues i jyst â neud. O'n i'n cael gwaith dal. Fe ofynnes i iddi shwt fydde hi'n teimlo tase hi'n gwbod bo' chi'n whare ymbytu 'da menyw arall.'

'A beth wedodd hi?'

'Y bydde hi'n teimlo'i bod hi wedi ca'l 'i bradychu. Y bydde popeth ma' hi 'di drio'i neud wedi bod yn ofer. Ond y peth pwysig o'dd y bydde hi isie gwbod tasech chi *yn* ca'l affêr. Fydde'n well 'da hi ga'l gwbod na cha'l 'i thwyllo.'

'Yn ofer,' meddai, a phwyso'n ôl yn ei gadair gan syllu ar y cwrw o'i flaen e ar y ford. Wedyn fe edrychodd e i fyw fy llygaid.

'Gwranda, bach, falle na 'nei di ddim deall hyn, falle'i fod e'n beth caled iawn i'w ddeall. Ond bargen yw bargen. Os y'ch chi isie rhwbeth, ma'n rhaid i chi aberthu rhwbeth arall. Pan o't ti'n fach fe ges i'r cyfle i fynd miwn i'r busnes allforio. Prynu a gwerthu ar y farchnad dramor. Y math 'na o beth. O'n i wrth 'y modd. Jyst y job o'n i wedi bod yn whilo amdano fe. Ond fydde fe wedi golygu trafeili tipyn. Byw dramor. A do'dd dy fam ddim isie.'

'A ethoch chi ddim.'

Thrafferthodd e ddim i ateb.

'Dim bo' fi'n whilo am esgusodion cofia. Affêr yw affêr. Ma' rhywun yn ca'l un ne' dyw e ddim. Ond ma' Llinos a finne'n nabod 'yn gilydd ers gymint o amser, 'na i gyd. Sdim syniad 'da fi faint wedodd Jack a Meira wrthot ti.'

'Tipyn bach go lew.' A chyn i fi feddwl ddwywaith fe ychwanegais, 'Er enghraifft, y rheswm briodoch chi Mam!'

Fe drodd e'i ben i ffwrdd ar unwaith. Syllais innau ar y blodau porffor a pinc a difaru 'mod i wedi dweud beth wnes i. Doedd dim rheswm dros ei ddweud e. Fe fydden ni wedi gallu'i drafod e rywbryd eto, Dad a finnau.

'Pobol neis yw Jack a Meira,' meddai, 'ond ma'n nhw'n

lico ca'l 'u tynnu miwn i drafferthion pobol erill. Fi ddyle fod wedi gweud 'na wrthot ti.'

'Na,' meddwn i. 'Wy 'di bod yn styried. Tasen i'n gwbod, fe fydde pethe wedi bod yn wa'th o lawer. Allen i fod wedi'i dowlu e'n ôl i wyneb Mam yn 'y nhymer rywbryd. Ne' falle y bydde hi wedi'i dowlu e ata i. A fydde hynny wedi bod yn annioddefol.'

'Bydde,' cytunodd Dad.

Roedd golwg hollol ddiymadferth arno fe. Bargen yw bargen. Roedd e wedi cadw'i ran e o'r fargen, ac wedi ymdrechu i wneud y gorau o'r rhan arall ohoni. Allai neb ofyn mwy na hynny.

Fe fuon ni'n dau'n ddistaw am amser hir. Gwyddwn yn iawn ei fod e'n meddwl am Llinos, yn trio penderfynu beth oedd orau i'w wneud. Doedd arna i ddim isie torri ar draws ei feddyliau. Roedd e wedi ymddiheuro i fi am ofyn cwestiwn dwl i fi ar y ffordd i'r dafarn. Doedd arna i ddim isie gwneud yr un mistêc.

O'r diwedd fe wenodd e arna i, ond doedd hi ddim yn wên o'r galon. Roedd hi'n llawn poen, ac roedd hi'n torri 'nghalon i.

'Fe eglura i wrth Llinos,' meddai. 'Fydd hi'n becso'n ofnadw'n bod ni wedi rhoi shwt gymint o ofid i ti. Ŷn ni wedi trafod y peth sawl gwaith—y peryg o achosi gofid i bobol rownd i ni.'

Cododd ei wydryn fel tasai'n mynd i yfed peth o'r cwrw, ond wedyn ei roi'n ôl ar y ford cyn yfed dim.

'Fe ddeallith hi'n iawn,' meddai. ''Newn ni'm cwrdd 'to.'

Edrychais arno fe, ond fe edrychodd e draw. Eisteddodd yn llonydd ac yn ddistaw, cyn cydio yn ei wydryn unwaith eto, yfed y cwrw i'r gwaelod a gosod y gwydryn 'nôl yn ofalus ar y ford.

'Ma' fe fel colli'ch coes on'd yw e?' dwedais. 'Neu ran o'ch ymennydd. Rhan fawr ohonoch chi'ch hunan.'

'Sali fach,' meddai. Dyna'r tro cyntaf iddo fe ddefnyddio'n enw mabwysiedig i. 'Shwt wyt ti'n gwbod am bethe fel hyn yn barod? Ma'n nhw'n bethe poenus ofnadw.'

'Ife fel'na ŷch chi'n teimlo am Llinos?'

'Ie,' cyfaddefodd ar ôl meddwl tipyn. 'Ond paid ti â becso dim mwy am y peth. A ma'n ddrwg 'da fi 'i fod e wedi digwydd.'

Edrychodd ar ei wats.

'Ma'n well i ni 'i throi hi ti'n gwbod. Sdim rhyfedd bo' Mam yn mynd yn grac yn goffod aros yn y tŷ yn neud grefi.'

'Dyw hi ddim yn *goffod* neud pryd mowr ganol dydd,' meddwn i, a chodi'r gwniadur lan yn ofalus. Roedd rhywbeth arall ar fy meddwl.

Cydiais yn llaw Dad ar y ffordd adref, gan gofio'r gwyliau glan-môr pan o'n i'n blentyn, a finnau'n cerdded yn droednoeth yn ei law, gan lusgo fy rhaw yn y tywod.

'Fydd raid i chi weud wrth Mam.'

'Na . . .'

'Fydd *raid* i chi, Dad.'

Fe'i gorfodais i aros ac edrych arna i.

'Gwrandwch, wy'n ddigon hen nawr. Os fydd hi'n credu na allith hi fyw 'da chi ar ôl hyn i gyd, fydd raid i ni wynebu'r peth. Ond ma' hawl 'da hi i ga'l gwbod. Ma' hawl 'da hi i benderfynu beth ma' hi isie'i neud. Allith hi ddim neud os na wedwch chi wrthi. Ma'n *rhaid* i chi weud wrthi.'

Caeodd ei lygaid am funud. Deallwn yn iawn sut oedd e'n teimlo. Wedyn fe gerddon ni 'mlaen.

'Ti'n gwbod beth alle fe'i olygu on'd wyt ti?' gofynnodd.

'Odw.'

'Wy'n caru dy fam ti'n gwbod. Yn ddwfn iawn. 'Na beth sy'n anodd 'i ddeall. Dyw bywyd byth yn tin-droi'n deidi rownd i un person. Ond allen i byth â d'adel di yn y canol, yn gwbod y cwbwl, ac yn goffod dewis, yn goffod cymryd ochor, a chadw cyfrinache. Na, fe weda i wrth Llinos. Alli di anghofio am y cwbwl wedyn.'

'Shwt alla i anghofio am y peth! Bob tro fydda i'n edrych arnoch chi fydda i'n meddwl mor anhapus ŷch chi. A beth ddigwyddith os weda i rwbeth wrth Mam? Pan fyddwn ni'n ffraeo falle? Alla i ddim â rheoli'n hunan ambell waith. Ma'n rhaid i fi weud beth sy ar 'yn meddwl i. Dim bygythiad yw 'na cofiwch. Duw a ŵyr, 'na'r peth dwetha fydden i'n neud. Ond shwt alla i fod yn siŵr y galla i gadw'r peth i fi'n hunan am byth? Wy ddim yn ddigon cryf. Allen i weud rhwbeth yn 'y nhymer. Plîs Dad, ma'n rhaid i chi weud wrthi.'

'O Dduw Mawr . . .'

Wrth ddod rownd y cornel stopiais yn stond. Roedd beic Tom wedi'i barcio o flaen y tŷ. Beth oeddwn i wedi'i ddweud wrth Liz? Tasai fe'n cysylltu â fi, sdim dal . . . Roedd e wedi gwneud y penderfyniad drosta i.

Doedd Dad ddim wedi sylwi ar y beic.

'Fydd raid i fi ddewis amser cyfleus pan fyddwn ni ar 'yn penne'n hunen,' meddai, fel tasai'n siarad â fe'i hunan.

'Fydd prynhawn 'ma'n gyfleus 'te?' gofynnais.

Sylwodd ar y beic a throi i edrych arna i'n ddifrifol.

'Paid ti â neud unrhywbeth dwl o'n achos i,' meddai.

Gwasgodd fy llaw i'n dynn, dynn.

'Plîs, cariad, bydd yn ofalus,' meddai. 'Allen i ddim diodde i ti ga'l dolur.'

'Peidwch â siarad dwli,' atebais, a gwenu'n drist arno. 'Ma'n rhaid i ni fyw, on'd o's e?'

Ac fe gerddon ni at y tŷ yn heulwen gwan yr hydref.

Hefyd yn y gyfres:

Jabas Penri Jones (Gwasg Dwyfor)
Cyffro Clöe Irma Chilton (Gomer)
Pen Tymor Meinir Pierce Jones (Gomer)
Hydref Gobeithion Mair Wynn Hughes (Gwasg Tŷ ar y Graig)
'Tydi Bywyd yn Boen! Gwenno Hywyn (Gwasg Gwynedd)
O'r Dirgel Storïau Ias ac Arswyd, gol. Irma Chilton (Gomer)
Dydi Pethau'n Gwella Dim! Gwenno Hywyn (Gwasg Gwynedd)
Cicio Nyth Cacwn Elwyn Ashford Jones (Gwasg Carreg Gwalch)
Tecs Mary Hughes (Gomer)
Liw Irma Chilton (Gomer)
Mwg yn y Coed Hugh D. Jones (Gomer/CBAC)
Iawn yn y Bôn Mari Williams (Gomer/CBAC)
Pwy sy'n Euog? addas. John Rowlands (Gomer)
Ciw o Fri! addas. Ieuan Griffith (Gomer)
Cari Wyn: Ditectif y Ganrif! addas. Gwenno Hywyn (Gwasg Gwynedd)
Ses addas. Dylan Williams (Gwasg Dwyfor)
Wela i Di! addas. Elin Dalis (Gomer)
Ar Agor fel Arfer addas. Huw Llwyd Rowlands (Gomer)
Gwarchod Pawb! addas. Hazel Charles Evans (Cyhoeddiadau Mei)
Mêl i Gyd? Mair Wynn Hughes (Gomer/CBAC)
Llygedyn o Heulwen Mair Wynn Hughes (Gomer/CBAC)
Tipyn o Smonach Mair Wynn Hughes (Gomer/CBAC)
Dwy Law Chwith Elfyn Pritchard (Gomer)
Codi Pac Glenys Howells (Gomer)

Mochyn Gwydr Irma Chilton (Gomer)
Cari Wyn: Cyfaill Cariadon addas. Gwenno Hywyn
(Gwasg Gwynedd)
Un Nos Sadwrn . . . Marged Pritchard (Gomer)
Cymysgu Teulu addas. Meinir Pierce Jones (Gomer)
Gadael y Nyth addas. William Gwyn Jones
(Gwasg Gwynedd)
Gwsberan addas. Dyfed Rowlands (Gomer)
Coup d'État Siân Jones (Gomer)
'Tydi Cariad yn Greulon! Gwenno Hywyn
(Gwasg Gwynedd)
O Ddawns i Ddawns Gareth F. Williams (Y Lolfa)
Broc Môr Gwen Redvers Jones (Gomer)
5 Stryd y Bont Irma Chilton (Gomer)
Cari Wyn: 'Gendarme' o Fri! addas. Gwenno Hywyn
(Gwasg Gwynedd)
Adlais Shoned Wyn Jones (Y Lolfa)